Von A bis Zett

Wörterbuch für Grundschulkinder

Mit Bild-Wort-Lexikon Englisch

von
Gerhard Sennlaub

Cornelsen

Inhaltsverzeichnis

Wortschatz für den Anfangsunterricht — 4

Bildwortschatz für den Anfangsunterricht 6
Hören und schreiben: Lauttreue Wörter 8
Anfangswortschatz 14

Erstes Wörterverzeichnis (2. Schuljahr) — 30

Aufgaben:
Wie man im Wörterbuch nachschlägt 32
Wörterverzeichnis 38

Zweites Wörterverzeichnis (3./4. Schuljahr) — 84

Aufgaben: Wie man alle Wörter findet 86
Wörterverzeichnis 92

Inhaltsverzeichnis

Kleine Lexika 200

Wörtersammlung für den Sachunterricht 202

Lautmalende Wörter 221

Wortfelder 222

Wortfamilien 226

Landschaftliche Unterschiede in der Sprache 229

Vornamen und ihre Bedeutung 232

Kleines Grammatiklexikon (Aufgaben) 236

Kleines Rechtschreiblexikon (Aufgaben) 242

Anlauttabelle für türkische
und russische Kinder 268

Englisch 270

Bild-Wort-Lexikon 272

Wörterverzeichnis 294

Wie man auf Englisch … 300

Englische Wörter in unserer Sprache 302

Lösungen zu den Aufgaben 303

Wortschatz für
den Anfangsunterricht

➤ Bildwortschatz für den Anfangsunterricht   6

➤ Hören und schreiben – Lauttreue Wörter   8

➤ Anfangswortschatz   14

A a Ampel Ameise B b Banane

E e Esel Ente F f Fahrrad

I i Igel Insel J j Jacke

M m Mond N n Netz

Qu qu Qualle R r Ritter

U u Uhr Unfall V v Vogel Vulkan

6

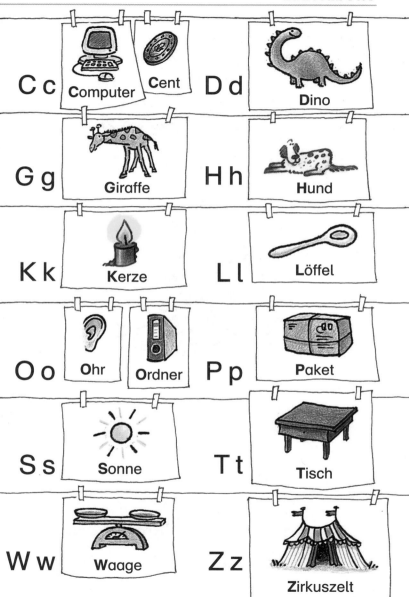

C c — Computer, Cent

D d — Dino

G g — Giraffe

H h — Hund

K k — Kerze

L l — Löffel

O o — Ohr, Ordner

P p — Paket

S s — Sonne

T t — Tisch

W w — Waage

Z z — Zirkuszelt

Eine Gans mit
Namen Hans

Ein Hase mit
roter Nase

Platsch!

Beide im Bach.
Na so was! Ach!

A a ach B b der Bach, beide C c D d
E e ein, eine F f G g die Gans
H h der Hans, der Hase I i im J j K k
L l M m mit N n der Name, die Nase
O o P p Qu qu R r rot S s so T t
U u V v W w was X x Y y Z z

Der Kater   die Hunde-
   Miau   und   Frau Wau

sagen zum Schwein:

Du Sau!

A a B b C c D d du E e F f G g
H h die Hunde-Frau I i J j K k der
Kater L l M m Miau N n O o P p
Qu qu R r S s sagen, die Sau, das
Schwein T t U u und V v W w Wau
X x Y y Z z zum

1 ein kranker Elch

2 zwei Familien

zwei Rosen am Zaun

3 drei Ameisen

drei Meisen im Winter

drei Hasen in der Hasen-Schule

Amsel Banane C Dose Esel
Ferien Gras Heft Insel Juni Kino
Lampe Milch Nebel Onkel Post
Quark Raupe Seife Tafel Uhu
Vogel Wolke X Y Z

Braun ist nicht blau,
grün ist nicht grau,
doof ist nicht schlau.

**Kurz ist nicht klein,
schlecht ist nicht fein,
mein ist nicht dein.**

Arm ist nicht reich,
hart ist nicht weich,
schwarz ist nicht bleich.

**Eins ist nicht zwei,
zwei ist nicht drei
und fünf Schwindelei.**

---

a alt b blau, braun, böse, bunt c d
e f falsch, fein, frech, frisch g grün,
gut h i j k kalt, klein, kurz, krank
l laut, leise, lose m n neu o p qu
r s sicher, schön, scharf, schlau,
schwach, schwer t u v w weit,
weich, wach x y z

Sprich jeden Tiernamen.
Dann schreibe ihn auswendig.

Ameise Bär C Dino Elefant Fisch
Gans Hase Igel Jaguar Kamel
Löwe Maus Nashorn Orang-Utan
Pinguin Qu Rabe Sardine Tapir
Uhu Vogel Wolf X Y Zebra

Zauberkreise: Von Wort zu Wort
ist immer etwas verändert.

Eichel Speichel Speiche Eiche

Sau Bau Baum Raum Saum

Dorf Horn Zorn Korn Dorn

Rose Hose Hase Hast Mast Mist Most Rost

Brand Rand Hand Sand Land Band

Vorsicht: -d!

13

lernen

lesen

reden

essen

singen

malen

bauen

helfen

sagen

lernen   lernen   lernen

lesen   lesen   lesen

reden   reden   reden

essen   essen   essen

singen   singen   singen

malen   malen   malen

bauen   bauen   bauen

helfen   helfen   helfen

sagen   sagen   sagen

das **Mädchen**

der **Junge**

das **Kind**

die **Mama**

die **Mutter**

der **Papa**

der **Vater**

die **Oma**

der **Opa**

Mädchen

Mädchen Mädchen

Junge Junge Junge

Kind Kind Kind

Mama Mama Mama

Mutter Mutter Mutter

Papa Papa Papa

Vater Vater Vater

Oma Oma Oma

Opa Opa Opa

der **Hof**

die **Fahne**

der **Roller**

das **Eis**

der **Wagen**

der **Kuchen**

die **Hose**

die **Tasche**

die **Nase**

der **Apfel**

Hof   Hof   Hof

Fahne   Fahne   Fahne

Roller   Roller   Roller

Eis   Eis   Eis

Wagen   Wagen   Wagen

Kuchen   Kuchen   Kuchen

Hose   Hose   Hose

Tasche   Tasche   Tasche

Nase   Nase   Nase

Apfel   Apfel   Apfel

die **Sonne**

das **Nest**

der **Baum**

die **Wiese**

das **Haus**

der **Bach**

der **Weg**

der **Wald**

die **Blume**

das **Auto**

Sonne   Sonne   Sonne

Nest   Nest   Nest

Baum   Baum   Baum

Wiese   Wiese   Wiese

Haus   Haus   Haus

Bach   Bach   Bach

Weg   Weg   Weg

Wald   Wald   Wald

Blume   Blume   Blume

Auto   Auto   Auto

Kinder

können spielen, lachen,

dürfen auch weinen,

müssen sich waschen.

Kinder Kinder Kinder

können spielen, lachen,

können spielen, lachen,

können spielen, lachen,

dürfen auch weinen,

dürfen auch weinen,

dürfen auch weinen,

müssen sich waschen.

müssen sich waschen.

müssen sich waschen.

kommen

gehen

fahren

suchen

kaufen

laufen

rufen

rollen

wollen

kommen

kommen   kommen

gehen   gehen   gehen

fahren   fahren   fahren

suchen   suchen   suchen

kaufen   kaufen   kaufen

laufen   laufen   laufen

rufen   rufen   rufen

rollen   rollen   rollen

wollen   wollen   wollen

der **Hund**

die **Katze**

die **Maus**

der **Hase**

die **Ente**

die **Kuh**

der **Igel**

der **Vogel** und das **Ei**

Hund   Hund   Hund

Katze   Katze   Katze

Maus   Maus   Maus

Hase   Hase   Hase

Ente   Ente   Ente

Kuh   Kuh   Kuh

Igel   Igel   Igel

Vogel und Ei

Vogel und Ei

Vogel und Ei

groß

klein

neu

leise

rot

schön

fein

lang

kurz

sauber

groß groß groß

klein klein klein

neu neu neu

leise leise leise

rot rot rot

schön schön schön

fein fein fein

lang lang lang

kurz kurz kurz

sauber sauber sauber

Erstes

Wörterverzeichnis (2. Schuljahr)

→ Aufgaben:
  Wie man im Wörterbuch nachschlägt   32
→ Wörterverzeichnis   38

Aufgaben: Wie man im Wörterbuch nachschlägt
Hier lernst du, wie man im Wörterbuch Wörter findet. Wenn du der Reihe nach arbeitest, braucht dir deine Lehrerin oder dein Lehrer nicht zu helfen.

Nimm dir jeden Tag eine Aufgabe vor. Am ersten Tag nur Nummer 1. Am zweiten Tag nur Nummer 2. Und so weiter.

Dieses Zeichen heißt: Suche dir einen Partner. Jeder von euch löst die Hälfte der Aufgaben. Die zweite Hälfte darf jeder vom anderen abschreiben. Selbstverständlich sollt ihr einander auch helfen.

1. ABC-Gedicht
   A B C D E F G   Puderzucker ist kein Schnee.
   H I J K L M N O P   Badewasser ist kein See.
   Q R S T U V W   Limonade ist kein Tee.
   X Y Z   Die Schulbank ist kein Bett!

2. Lerne das ABC-Gedicht auswendig.
   Sprich es einem Freund oder einer Freundin vor.

3. Das ABC-Gedicht hat 4 Zeilen.
   Schreibe die 4 Zeilen auswendig untereinander, aber nur die ABC-Buchstaben.

4. In welcher Zeile des ABC-Gedichts steht der Buchstabe?
   1. A   2. O   3. H   4. V
   Schreibe jedes Mal die ganze Zeile.
   So: 1. A B C D E F G
            2. ...

32

5. Welche drei Buchstaben stehen danach?

1. D   2. A   3. C   4. B

Schreibe so: 1. D E F G

            2. ...

6. Welche beiden Buchstaben stehen davor?

1. G   2. C   3. E   4. D   5. F

Schreibe so: 1. E F G

            2. ...

7. ABC-Test

Sprich das ABC so schnell, wie du kannst.
Kontrolliere mit dem Sekundenzeiger einer Uhr.
Beurteile dein Ergebnis selbst:

- mehr als 15 Sekunden: Du kannst noch nicht
zufrieden sein.
Übe jeden Tag weiter.
- 12 bis 15 Sekunden: Herzlichen Glückwunsch!
Du bist schon gut.
- 8 bis 12 Sekunden: Du bist besonders gut!
- unter 8 Sekunden: Du bist reif für die
Weltmeisterschaft!

Schreibe dein Ergebnis ins Heft.

8. Welcher Buchstabe steht davor, welcher danach?

1. C   2. F   3. D   4. E   5. B

6. I   7. M   8. K   9. J   10. L

Schreibe so: 1. B C D   2. E F G und so weiter.

9. Denke dir eine Melodie für das ABC-Gedicht aus.
Singe dein ABC-Lied an deinem Tisch vor.
Darfst du es auch der Klasse vorsingen?

10. Ordne diese Namen nach den Anfangsbuch-
staben: Daniela, Alessandra, Claudia, Beate,
Frank, Elli, Georg
Schreibe so: <u>A</u>lessandra, <u>B</u>eate, <u>C</u>laudia ...
(Die Lösung steht auf Seite 303.)

11. Ordne diese Familiennamen nach den Anfangs-
buchstaben: Wagner, Meier, Lehmann, Seiler,
Posser, Zander
Schreibe so: Lehmann, Meier ...   (➤ S. 303)

12. Auto, Finger, Nase, Wind, Bauch, Luft, Radio,
Hund, Großmutter, Opa
Mache dir eine ABC-Liste und ordne
die Wörter ein. So:

A	Auto
B	Bauch
C	
D	
E	
F	Finger

und so weiter (➤ S. 303)

13. ☃ Benutze von nun an das erste Wörter-
verzeichnis. Es sind die Seiten mit dem roten
Rand.
Auf welcher Seite stehen die Wörter, die mit
C, J, U, Q, N, I, O, V anfangen?
Schreibe so: C: Seite 44
              J: ...

14. Auf welcher Seite stehen die Wörter, die mit
Fi, Scho, I, Da, Zo, O, EI, U und Ga anfangen?

Von nun an kannst du immer das Wort „Seite"
und den Doppelpunkt weglassen.
Schreibe so: Fi 49, scho …

15. Auto, Bett, Fuß, Glocke, Haus, Katze, Zimmer,
Luft, Mund, Name, Wind, Papa
Diese Wörter sind nach dem ABC geordnet. Zwei
sind falsch eingeordnet. Ordne sie richtig ein und
schreibe alle.
So: Auto, Bett … Lass einen Partner kontrollieren!

16. Mache dir eine ABC-Liste und ordne die fol-
genden Wörter ein: Puppe, Radio, Bett, Hand,
Gedicht, Zahn, Ferien, Mädchen, Dorf, Jahr
Schreibe dann alle Wörter noch einmal mit Kom-
mas hintereinander. So: Bett, Dorf … (➜ S. 303)

17. Suche im Wörterbuch die Namen von Tieren,
die so anfangen:
Ka, Fi, I, El, Ha, P, V, Ma
Schreibe mit Seitenzahl. So: Katze 58 …

18. Suche diese Wörter und schreibe sie mit Seiten-
zahl: Milch, Heft, Dorf, Stein, Wald, Tor, Flasche,
Jahr, Topf Schreibe so: Milch 63 …

19. 🏃🏼 Wie heißt das erste Wort im Wörterbuch,
das so anfängt:
El, Za, V, Ra, We, Ta, Sa, Qu, Li, Schu?
Schreibe so: Elefant, Zahl …

20. Schreibe alle Monatsnamen mit der Seitenzahl.
So: Januar 57, Februar 48 …

21. Suche im Wörterbuch die Namen von Sachen, die man essen oder trinken kann. Sie fangen so an:
Ka, Qu, Bo, Ap, Ku, Wu, Te, Mi
Schreibe mit Seitenzahl. So: Kaffee 58 …

22. Auch Wörter, die alle mit dem gleichen Buchstaben anfangen, kannst du nach dem ABC ordnen. Dann kommt es nicht auf den ersten, sondern auf den zweiten Buchstaben an.
Ente, Eber, Erde, Eheleute, Esel, Efeu, Eisen, Elli, Ekel
Lege eine Tabelle an und schreibe die Wörter dazu:

E a
E b er
E c
E d
E e
E f eu
E g und so weiter   (➤ S. 303)

23. Ober, Ohr, Ofen, Onkel, Oma, Ort, Osten, Ozean
Lege eine Tabelle an und ordne die Wörter ein.
So: O a
O b e r
      c
      d
      e
O f e n und so weiter   (➤ S. 303)

24. Ordne nach dem ABC:
Ampel, Abend, Affe, Ball, Blume, Berg, Brille,

Dezember, Dach
Schreibe so: Abend ...

25. Achtung: ä ist wie a eingeordnet, ö wie o, ü wie
u und äu wie au; ä, ö, ü und äu sind so sortiert,
als hätten sie nicht ihre Umlaut-Pünktchen.
Ordne nach dem ABC:
Apfel, Auge, Ärzte, Bäcker, Bein, brechen, böse,
Fisch, Fähre, Füße
Schreibe so: Apfel, Ärzte ...

26. 🐛 Ängste, Schülerin, überall, Vögel, Räder,
möglich, hören, König
Schreibe jedes Wort zusammen mit dem Wort,
das vor ihm im Wörterbuch steht.
So: Angst – Ängste, Schüler – Schülerin ...

27. Suche Wörter, die sagen, wie Kinder sein können.
Sie fangen so an: br, gr, kr, li, di, fr, fr, kl, kl, lu
Schreibe so: braun ...

28. 🐛 Welche dieser Wörter schreibt man groß?
Das Wörterbuch sagt es dir.
MUT, ANGST, WIND, ANTWORT, FREITAG,
STUNDE, LUFT, HUNGER, JUNI, ANDERE
Schreibe die Wörter, die man großschreibt.

29. Bei diesen Wörtern fehlen die schwierigsten
Buchstaben. Schreibe sie richtig. Manchmal
musst du auch zwei Buchstaben einsetzen.
eigen__lich, Flugzeu__, hoffen__lich, Stä__e,
kapu__,   tausen__,   schwar__,   trauri__

ab

der Abend

die Abende

abends

aber

ach

acht

der Affe

die Affen

alle

allein

alles

als

also

alt/älter

am

die Ampel

die Ampeln

an

andere

ändern

anders

der Anfang

die Anfänge

anfangen

die Angst

die Ängste

anrufen

die Antwort

die Antworten

wir antworten

anziehen

der Apfel

die Äpfel

der April

die Arbeit
die Arbeiten
wir arbeiten
der Arbeiter
die Arbeiter
er arbeitet
der Arm
die Arme
der Arzt
die Ärzte

er aß es auf
der Ast
die Äste
auch
auf
die Aufgabe
die Aufgaben
das Auge
die Augen
der August
aus
das Auto
die Autos

Ba

das Baby
die Babys
der Bach
die Bäche
wir backen
sie backt
der Bäcker
die Bäcker
das Bad
wir baden
sie badet
die Bäder
der Bagger
die Bagger
die Bahn
die Bahnen
bald

der Ball
die Bälle
ich band es fest
die Bank
die Bänke
der Bär
die Bären
sie bat mich
der Bauch
die Bäuche
bauen
der Bauer
die Bäuerin
die Bauern
der Baum
die Bäume
er baut ein Haus

Be

es begann
beginnen
bei
beide
beim Essen
das Bein
beinahe
die Beine
das Beispiel
die Beispiele
beißen

der Berg
die Berge
besonders
besser
bestimmt
der Besuch
die Besuche
besuchen
beten
das Bett
die Betten
bewegen
er bewegt
bezahlen
er bezahlt

Bi bis Bl

die Biene
die Bienen
das Bild
die Bilder
billig
ich bin
wir binden
die Birne
die Birnen
bis morgen
er biss mich
ein bisschen
du bist da
bitte komm!
bitten

das Blatt
die Blätter
blau
bleiben
sie bleibt
er blieb dort
blöde
blühen
sie blüht
die Blume
die Blumen
die Blüte
bluten

der Boden

die Böden

die Bohne

die Bohnen

das Boot

die Boote

böse

es brannte

der Braten

die Braten

brauchen

braun

brennen

der Brief

die Briefe

die Brille

die Brillen

bringen

er bringt

das Brot

die Brote

das Brötchen

die Brötchen

der Bruder

die Brüder

das Buch

die Bücher

bücken

bunt

der Bus

die Busse

der Busch

die Büsche

die Butter

Cent
die Cents
der Christ
die Christen
das Christkind
der Clown
der Computer
die Computer

da
dabei
dafür
damals
damit
danke
danken
dann
daran
ich darf das
darüber
darum
das
davon
dazu
dein Vater
dem
gib den Ball!

De bis Du

gib **denen** nichts!

denken

wo **denn**?

der

deutsch

der **Dezember**

dich

dicht

dick

die

dienen

der **Dienstag**

die **Dienstage**

diese Frau

dieser Mann

das **Ding**

die **Dinge**

dir

doch

der **Donnerstag**

die **Donnerstage**

doof

das **Dorf**

die **Dörfer**

dort

draußen

drei

drücken

er drückt

du

dumm

dunkel

dünn

durch

dürfen

der **Durst**

45

eben gerade

die Ecke

die Ecken

das Ei

die Eier

die eigene Nase

eigentlich

eilen

der Eimer

die Eimer

ein Mann

ein bisschen

eine Frau

in einem Haus

gib einen Kuss!

von einer Frau

eines Tages

einfach

einige

einmal

eins

das Eis

der Elefant

die Elefanten

elf

die Eltern

das Ende

die Enden

endlich!

eng

die Ente

die Enten

er

die Erde

die Erden

erklären

erlauben

der Ernst

erst

erste

erzählen

es

der Esel

die Esel

das Essen schmeckt

wir essen

etwa

etwas

euch

euer Hund

die Eule

die Eulen

eure Katze

der Euro

die Euros

ewig

Fa bis Feu

die **Fahne**
fahren
sie **fährt**
die **Fahrt**
die **Fahrten**
fallen
sie **fällt**
falsch
die **Familie**
die **Familien**
ich **fand** etwas
fangen
es **fängt** an
fassen
sie **fasst** an
sie **fasste** an
fast acht Uhr

der **Februar**
fehlen
der **Fehler**
die **Feier**
feiern
fein
der **Feind**
die **Feinde**
das **Feld**
die **Felder**
das **Fenster**
die **Fenster**
die **Ferien**
fernsehen
fertig
fest zugebunden
das **Fest** feiern
die **Feste**
das **Feuer**

er fiel

finden

sie findet

er fing

der Finger

die Finger

der Fisch

die Fische

die Flasche

die Flaschen

das Fleisch

die Fliege

die Fliegen

wir fliegen

er fliegt

fliehen

fließen

er flog

er floh

der Floh

die Flöhe

es floss

der Flügel

die Flügel

das Flugzeug

die Flugzeuge

flüssig

wir folgen

fort

Fr bis Fu

wir fragen
er fragt
die Frau
die Frauen
frech
frei
der Freitag
die Freitage
fremd
die Fremde
die Freude
freuen
der Freund
die Freunde
die Freundin
die Freundinnen
freundlich

der Friede oder:
der Frieden
frisch
froh
die Frucht
die Früchte
früh
der Frühling
füllen
der Füller
die Füller
fünf
fünfzig
für
der Fuß
die Füße

sie **gab** mir

ganz fertig

eine **ganze** Stunde

ein **ganzer** Tag

gar

der Garten

die Gärten

geben

hat gebeten

hat gebissen

hat gebrochen

ist gebunden

die Geburt

der Geburtstag

die Gefahr

die Gefahren

gefährlich

gefallen

es gefiel mir

ist geflossen

hat gefunden

ist gegangen

gegen

hat gegossen

gehen

hat geholfen

er geht

der Geist

hat geklungen

Gel bis Get

gelb
gelbe Blumen
das Geld
die Gelder
das Gemüse
genau
hat genommen
genug
gerade
hat gerissen
gern
das Geschäft
die Geschäfte
das Geschenk
die Geschenke
das Geschirr

hat gesessen
das Gesicht
die Gesichter
gestern
gesund
gesunde Kost
hat gesungen
ist gesunken
hat getan
hat getroffen
hat getrunken

er gewann

ist gewesen

gewinnen

sie gewinnt

hat gewonnen

ist geworden

hat geworfen

er gibt

wir gießen

es ging

das Glas

die Gläser

glatt

glauben

gleich schnell

die Glocke

die Glocken

das Glück

es goss

wir graben

sie gräbt

das Gras

die Gräser

greifen

die Grenze

die Grenzen

sie griff

groß

größer

er grub

grün

der Grund

die Gründe

die Gruppe

die Gruppen

guck mal!

gut

Ha bis Häu

das Haar

die Haare

haben

ihr habt Zeit

halb

sie half mir

der Hals

die Hälse

wir halten fest

er hält fest

die Hand

die Hände

handeln

hart

härter

der Hase

die Hasen

du hast Geld

sie hat

er hatte

er hätte

das Haus

die Häuser

nach Hause

zu Hause

die Haut

die Häute

He

heben

die Hecke

die Hecken

das Heft

die Hefte

heil

heiß und kalt

heißen

er heißt

helfen

hell

das Hemd

die Hemden

her damit!

heraus

der Herbst

herein

der Herr

die Herren

herunter

das Herz

die Herzen

heute

die Hexe

die Hexen

Hi bis Hu

sie hielt fest

hier

er hieß

die Hilfe

es hilft nichts

der Himmel

die Himmel

hin

hinaus

hinein

hinten

hinter mir

hob auf

hoch

der Hof

die Höfe

hoffen

hoffentlich

du holst

er holt

das Holz

die Hölzer

hören

du hörst

der Hort

die Horte

die Hose

die Hosen

der Hund

die Hunde

hundert

der Hunger

ich

der Igel

die Igel

gib **ihm** etwas!

lass **ihn** los!

mit **ihnen** zusammen

ihr Haus

ihre Puppe

im Zimmer

immer

in dem Haus

innen drin

ab **ins** Bett!

sie **irren** sich

er **isst** es auf

es **ist** Zeit

ja

das Jahr

die Jahre

der Januar

jede Mutter

jeder Vater

jedes Kind

jemand

jetzt

der Juli

jung

der Junge

die Jungen

der Juni

Ka bis Kl

der Käfer

die Käfer

der Kaffee

der Kalender

die Kalender

kalt

die Kälte

er kam

er kann

du kannst

er kannte

kaputt

der Käse

die Kasse

die Kassen

die Katze

die Katzen

kaufen

sie kauft

kein Tag

keine Stunde

in keiner Sekunde

kennen

das Kind

die Kinder

das Kino

die Kinos

klar

die Klasse

die Klassen

das Kleid

die Kleider

klein

klingen

es klingt

klug

knurren	die Kosten
er knurrt	sie kosten
kochen	es kostet
der Koffer	der Krach
die Koffer	die Kräche
kommen	krank
du kommst	das Kraut
er kommt	die Kräuter
der König	kriegen
die Könige	er kriegt
die Königin	die Küche
können	die Küchen
er konnte	der Kuchen
der Kopf	die Kuchen
die Köpfe	die Kuh
das Korn	die Kühe
die Körner	kurz
der Körper	
die Körper	

La bis Leu

lachen

sie lacht

der Laden

die Läden

er lag

die Lampe

das Land

die Länder

lang, lange

langsam

sie las ein Buch

lass das!

sie lassen los

er lässt los

laufen

sie läuft

laut rufen

das Leben

wir leben

er lebt

leer

legen

du legst

sie legt

der Lehrer

die Lehrer

die Lehrerin

leicht

Leid tun

sie leiden sehr

leise

lernen

lesen

sie liest

letzter

die Leute

das Lexikon

die Lexika

das Licht

die Lichter

lieb

lieben

lieber

das Lied

die Lieder

sie lief

liefern

sie liegen

du liegst

sie liegt

sie ließ los

sie liest ein Buch

die linke Hand

links

sie litt sehr

das Loch

die Löcher

der Löffel

die Löffel

lass los!

die Luft

die Lüfte

lustig

Ma bis Me

machen

er macht

das Mädchen

die Mädchen

ich mag es

der Mai

geh mal weg!

wir malen Bilder

sie malt ein Bild

die Mama

man sieht es

manch

manchmal

der Mann

die Männer

die Mark

der März

das Maß

die Maße

die Maus

die Mäuse

mehr wert

mein Ball

meine Mutter

von meiner Mutter

meinen

die Menge

die Mengen

der Mensch

die Menschen

merken

messen

das Messer

die Messer

das
der Meter

die Meter

mich

die Milch

die Minute

die Minuten

von mir

mit

der Mittag

die Mittage

die Mitte finden

der Mittwoch

die Mittwoche

ich mochte

ich möchte

mögen

möglich

der Monat

die Monate

der Montag

die Montage

der Morgen

die Morgen

bis morgen

müde

die Mühe

die Mühen

der Müll

der Mund

die Münder

die Musik

müssen

sie muss

sie musste

der Mut

mutig

die Mutter

die Mütter

N

nach   neben

am Nachmittag   nehmen

der nächste Tag   nein

die Nacht   nennen

die Nächte   das Nest

der Nagel   die Nester

die Nägel   neu

nah   neun

er nahm   neunzig

der Name   nicht

die Namen   nichts

nämlich   nie

er nannte   niemand

die Nase   er nimmt

die Nasen   noch

nass   die Not

natürlich   der November

der Nebel   nun

die Nebel   nur

ob
oben
das Obst
obwohl
oder
lass offen!
oft
ohne
das Ohr
die Ohren
der Oktober
die Oma
die Omas

der Onkel
die Onkel
der Opa
die Opas
ordentlich
ordnen
die Ordnung
der Ort
die Orte
Ostern

P

ein **paar** Sachen

wir packen

er packt

das Paket

die Pakete

der Papa

das Papier

die Papiere

die Pappe

die Pappen

sie passen

es passt

die Pause

die Pausen

das Pferd

die Pferde

wir pflanzen

pflegen

er pflegt

die Pizza

die Pizzas oder:

die Pizzen

der Platz

die Plätze

das Plätzchen

plötzlich

die Pommes

der Popo

die Post

der Preis

die Preise

der Punkt

die Puppe

die Puppen

putzen

er putzt

das Quadrat
quaken
sie quakt
der Quark
der Quatsch
quer

Ra bis Re

das Rad
die Räder
ich rannte
rasch
sie rasen
wir raten
der Raum
die Räume
die Raupe
die Raupen
rechnen
die rechte Hand
rechts
sie reden
er redet

der Regen
regnen
reich werden
die Reihe
die Reihen
die Reise
die Reisen
wir reisen
sie reißen kaputt
sie rennen
er rennt
retten

richtig
riechen
er rief
sie riet mir
der Ring
die Ringe
es riss
es roch
der Rock
die Röcke
sie rollen
der Roller
die Roller
es rollt

rot
der Rücken
die Rücken
rufen
er ruft
ruhig
rund
die Rutsche
die Rutschen
wir rutschen

Sa

die Sache

die Sachen

der Saft

die Säfte

sie sagen

sie sagt

sie sah

das Salz

die Salze

der Samen

die Samen

der Samstag

die Samstage

der Sand

die Sande

sandig

sie sandte

sie sang schön

sie sank unter

sie saß

der Satz

die Sätze

sauber

sausen

scharf

schauen

scheinen

schenken

er schenkt

die Schere

die Scheren

schicken

er schickt

schief

das Schiff

die Schiffe

schlafen

er schläft

schlagen

sie schlägt

schlau

schlecht

er schlief fest

schließen

der Schlitten

die Schlitten

der Schluss

der Schlüssel

die Schlüssel

schmecken

schmücken

er schmückt

schmutzig

der Schnee

wir schneiden

sie schnitt

schnell

Scho bis Schw

schon

schön

der Schrank

die Schränke

sie schreiben

sie schreibt

schreien

sie schrie

sie schrieb

die Schrift

die Schriften

der Schuh

die Schuhe

die Schule

die Schulen

der Schüler

die Schüler

die Schülerin

die Schüssel

die Schüsseln

sie schützen

er schützte

schwach

ich schwamm

der Schwanz

die Schwänze

schwarz

schwer

die Schwester

schwimmen

sie schwimmt

sechs

der die See

die Seen

sehen

sehr

ihr seid

die Seife

die Seifen

in sein Ohr

in seine Nase

in seiner Tasche

seit gestern

die Seite

die Seiten

die Sekunde

die Sekunden

selber

selbst

selten

senden

der September

setzen

er setzte

sich

sicher

sie

sieben

sie siegen

er sieht

wir sind

singen

er singt ein Lied

sinken

sie sinkt unter

wir sitzen oben

er sitzt

So bis Sp

so

sofort

sogar

der Sohn

die Söhne

der Soldat

die Soldaten

wir sollen bleiben

der Sommer

die Sommer

sondern

der Sonnabend

die Sonnabende

die Sonne

die Sonnen

der Sonntag

die Sonntage

sonst

die Spagetti

sparen

sie spart

der Spaß

die Späße

spät

das Spiel

die Spiele

spielen

sie spielt

spitz

der Sport

sie sprach

sie sprang

sprechen

sie spricht

springen

sie springt

die Stadt

die Städte

er stand

die Stange

die Stangen

der Stängel

die Stängel

stark

stehen

er steht

der Stein

die Steine

die Stelle

die Stellen

wir stellen es hin

der Stift

die Stifte

sei still!

die Stirn

die Stirnen

stolz

stoßen

die Straße

die Straßen

der Strauch

die Sträucher

der Streit

das Stück

die Stücke

der Stuhl

die Stühle

die Stunde

die Stunden

suchen

die Suppe

süß

Ta bis Ti

die Tafel

die Tafeln

der Tag

die Tage

die Tante

die Tanten

die Tasche

die Taschen

die Tasse

die Tassen

es tat weh

wir taten es

tausend

der Teddy

die Teddys

der Tee

das/der Teil

die Teile

teilen

das Telefon

die Telefone

der Teller

die Teller

die Temperatur

teuer

der Text

die Texte

tief

das Tier

die Tiere

der Tisch

die Tische

die Tochter	trennen
die Töchter	treten
toll	treu
der Topf	sie trieb
die Töpfe	sie trifft
das Tor	trinken
die Tore	trocken
tot umfallen	**trotzdem**
sie traf	sie trug
sie tragen	das Tuch
sie trägt	die Tücher
sie trank	tun
er trat mich	die Tür
der Traum	die Türen
die Träume	wir turnen
traurig	sie tut das
wir treffen	die Tüte
treiben	die Tüten

U

üben

er übt

über

überall

überhaupt

übrig

die Übung

die Übungen

die Uhr

die Uhren

um

und

der Unfall

die Unfälle

für uns

für unser Haus

für unsere Mutter

unten im Keller

unter dem Sofa

der Vater

die Väter

er vergaß

vergessen

sie vergisst es

verkaufen

der Verkehr

verletzen

verlieren

er verlor

sie verstand es

verstehen

versuchen

sie versucht

viel Zeit

viele Leute

vielleicht

vier

vierzig

der Vogel

die Vögel

das Volk

die Völker

voll

vom Vater

von mir

vor

vorbei

vorher

vorn

vorsichtig

Wa

wach

wachen

wachsen

es wächst

der Wagen

die Wagen rollen

wahr, nicht gelogen

während

der Wald

die Wälder

die Wand

die Wände

wann und wo

es war einmal

es wäre schön

es waren mal

er warf

warm

die Wärme

warnen

warten

warum

was

waschen

sie wäscht

das Wasser

die Wasser

geh **weg**!

der **Weg**

die **Wege**

wegen

wehtun

weich

weil

weinen

du weinst

er weint

ich weiß

die weiße Maus

weit und breit

weiter

welche Zeit?

welcher Tag?

die Welt

die Welten

von **wem** ist das?

für **wen** ist das?

wenig

wenn ich gehe

wer geht?

wir werden rufen

sie wird rufen

werfen

das Wetter

die Wetter

Wi bis Wu

wie

nie wieder

die Wiese

die Wiesen

wild

er will

du willst

der Wind

die Winde

der Winter

wir

es wird

er wirft

wirklich schön

du wirst krank

wir wissen

wo

die Woche

die Wochen

wohl

wohnen

die Wohnung

die Wolke

wollen

ich wollte

das Wort

die Wörter

sie wuchs schnell

die Wunde

wünschen

es wurde hell

die Wurst

die Würste

die Wurzel

die Wurzeln

sie wusch

er wusste

die Zahl

die Zahlen

wir zahlen ein

sie zählen

der Zahn

die Zähne

die Zehe

die Zehen

zehn, elf, zwölf

zeichnen

zeigen

sie zeigt

die Zeit

die Zeiten

ziehen

das Zimmer

die Zimmer

sie zog

der Zoo

die Zoos

zu

der Zucker

zuerst

der Zug

die Züge

zuletzt

zum Beispiel

zur ersten Stunde

zurück

zusammen

zwanzig

zwar

zwei

die Zwiebel

die Zwiebeln

zwischen

zwölf

Zweites

Wörterverzeichnis (3./4. Schuljahr)

➤ Aufgaben:
  Wie man alle Wörter findet   86

➤ Wörterverzeichnis   92

Aufgaben:
Wie man alle Wörter im Wörterbuch findet

Das kannst du schon: Wenn die ersten Buchstaben gleich sind, ordnen wir nach dem zweiten. Wenn aber auch die gleich sind?
Dann ordnen wir eben nach dem dritten Buchstaben.
Beispiel: a

b			
c	Da	c	kel
d	da	d	urch
e			
f	da	f	ür
g	da	g	egen
h	da	h	eim

Und wenn die dritten Buchstaben gleich sind, ordnen wir die Wörter nach ihren vierten Buchstaben.

1. Schreibe eine ABC-Liste und ordne ein:
   Backe, Bagger, Bahn, baden, Barren, bald, Bast, Bayern, Banane, Bauer   (Lösung ➙ S. 303)

2. Ordne diese Wörter in eine ABC-Liste:
   Latte, Laden, lachen, lahm, Lack, Lappen, Lager, lang, lassen, Lampe, lallen   (➙ S. 303)

3. Ein Wort ist falsch eingeordnet. Welches?
   Kahn, Kamel, Kanne, Kasse, Kopf, Kupfer, krank
   Schreibe nur das falsch eingeordnete Wort.
                                                          (➙ S. 303)

4. quer, passen, Rübe, Rücken, rudern, rufen, ruhig, Rummel, rund, schwer, schwarz

Zwei Wörter sind falsch eingeordnet. Welche?
Schreibe nur die beiden falsch eingeordneten
Wörter.   (➜ S. 303)

5. Bank, Base, Barometer, Christ, Dame, Deich,
   Dieb, Dialekt, Fessel, Dynamo
   Ordne diese Wörter nach dem ABC.
   Schreibe so: Bank …   (➜ S. 303)

6. Im zweiten Wörterverzeichnis wird die Einzahl
   (der Singular) der Wörter zuerst genannt.
   „Häuser" findest du also unter „Haus". Das Wort
   „Aufträge" steht unter „Auftrag".

   🐾 Suche im Wörterverzeichnis und schreibe
   mit Seitenzahl:
   Bänke, Symbole, Fabriken, Substantive, Eskimos,
   Quellen, Vorräte, Matratzen, Zwiebäcke, Termine

7. 🐾 Suche im Wörterbuch und schreibe
   mit Seitenzahl:
   Schlösser, Journalisten, Etuis, Architekten,
   Expeditionen, Schürzen, Lektionen, Dirigenten,
   Unterkünfte, Rosinen

8. Es gibt viele Wörter mit einer Vorsilbe. Zum Bei-
   spiel: **an**gucken, **weg**nehmen. Manche stehen im
   Wörterbuch. Aber für alle ist natürlich kein Platz.
   Du musst also solche Wörter ohne ihre Vorsilbe
   suchen. Beispiel: Suche nicht „wegnehmen", son-
   dern „nehmen". (Das Wörtchen „weg" findest du
   natürlich auch, wenn du das brauchst.)

🐜 Suche und schreibe mit Seitenzahl:
aus**zählen**, weg**schmeißen**, ab**holen**,
durch**nehmen**, aus**schimpfen**, ab**schießen**,
runter**springen**, durch**schlüpfen**, ab**gucken**
Schreibe so: auszählen – Seite …

9. Im Wörterbuch sind alle Hauptstichwörter **fett**
gedruckt. Aber hinter vielen Hauptstichwörtern
gibt es auch Nebenstichwörter. Viele Wörter, die
du suchst, sind Nebenstichwörter. Sobald du
beim Suchen eine ähnliche Wortform findest,
musst du auch auf die Nebenstichwörter achten.

Ausländer, Druckerei, verdächtig, charakteristisch,
Büschel, dutzendweise, schlängeln
Schreibe jedes Wort mit der Seitenzahl.
So: Ausländer – …

10. Verdeck, totenstill, Schwimmbad, fiebern,
Behälter, zwecklos, Dummheit, Unterricht
Schreibe jedes Wort mit der Seitenzahl.

11. 🐜 Suche und schreibe mit Seitenzahl:
vorfahren, abbiegen, feststampfen, abrollen,
ausklopfen, überziehen, anschnallen,
ausblicken, losmarschieren, einklemmen
Schreibe so: vorfahren – Seite …

12. Von diesen Seitenzahlen sind zwei falsch. Welche?
Plaketten – S. 124; Flüsse – S. 118; Satelliten –
S. 167; Operationen – S. 155; Knirpse – S. 138;
Giraffen – S. 125; Portionen – S. 126; Ponys –
S. 159; Gläser – S. 125

Schreibe alle Wörter mit der richtigen Seitenzahl.
Mogle einen Fehler dazwischen. Frag deinen
Partner, ob er ihn findet. (➔ S. 303)

13. 👥 Eine einzige Seitenzahl ist richtig. Welche?
abschnallen – S. 138; aufschließen – S. 136;
unterpflügen – S. 126; einbrechen – S. 84;
ausquetschen – S. 131; auszahlen – S. 161;
abstellen – S. 180; aufschütten – S. 133
Schreibe so: abschnallen – S. ... (➔ S. 303)

14. Sehr viele Wörter sind aus zwei Wörtern zu-
sammengesetzt. Zum Beispiel: Kuh|stall. Auch
diese Wörter haben nicht alle in einem Wörter-
buch Platz. Aber es gibt einen einfachen Trick:
Man kann sie wieder auseinander nehmen und
dann die Teile getrennt nachschlagen. Beispiel:
„Kuhstall" steht nicht im Wörterbuch. Aber
„Kuh" und „Stall".

👥 Bierglas, Flussbrücke, Autobatterie,
Baggersee, Brillenetui, Kloßbrühe
Suche und schreibe jedes Mal beide Seitenzahlen.
So: Bierglas – Seite ... und ...

15. Das Wort „Dosenöffner" ist aus „Dose" und „Öff-
ner" zusammengewachsen. Und das Namenwort
(Nomen, Substantiv) „Öffner" stammt von dem
Zeitwort (Verb) „öffnen" ab. Auch solche Wörter
wie „Dosenöffner" kann man meist nur getrennt
finden.

Ballonfahrer, Klammeraffe, Bohrmaschine,
Büchsenöffner, Diamantenschleifer
Schreibe so: Ballonfahrer – Seite … und …

16. 🐧🐧 In dieser Liste sind zwei Fehler.
Findest du sie?
Stadionsprecher (179 und 178), abklemmen
(137), Bienenkönigin (102 und 139), Brüllaffe
(77 und 67), durchbohren (104), Rösser (166),
Werkzeugmaschine (156 und 111)
Schreibe alle Wörter mit den richtigen
Seitenzahlen. (➜ S. 303)

17. Wenn du das Wort „schnitt" suchst, musst du bei
der Grundform „schneiden" nachsehen.
schnitt, brachte, schlief, aß, rief, gestohlen, fuhr,
gesessen, gegessen
Suche im Wörterbuch und schreibe beide
Wortformen.
So: schneiden, schnitt – S. … (➜ S. 303)

18. 🐧🐧 Rechnen mit Wörtern
Tierarzt, Zirkusclown, Geschäftsbummel,
Tigerdompteur, Sturmflut

Suche für jedes zusammengesetzte Wort beide
Seitenzahlen. Rechne mit diesen Zahlen eine
Minus-Aufgabe.
So: Tierarzt, | Tier | | Arzt |
184 – 95

Zirkusclown … (➜ S. 303)

19. 🚶‍♂️ ging, fraß, schrie, iss!, rissen, geschossen, wirf!, las, trug, gebissen, es gilt
Suche die Grundformen im Wörterbuch und schreibe so: gehen, ging – S. …

20. Topfpflanze, sie nahm, abgeholt, Eintrittsgeld, sieh mal!, Fuchsjagd
Schreibe jedes Wort und dahinter eine oder zwei Seitenzahlen. So: Topfpflanze (und   ); nahm (   ) …
Nun kennst du alle Tricks beim Wörtersuchen.

21. 🚶‍♂️ Bei den folgenden Wörtern fehlt s, ss oder ß. Schreibe sie mit Bleistift vollständig auf einen Zettel. Kontrolliere mit dem Wörterbuch. Schreibe dann endgültig in dein Heft.
das Gra_ , na_ , flie_en, der Flu_ , kü_en, das Ki_en, der Mi_t, der Bu_, wi_en, wei_

22. 🚶‍♂️ Wie kann man sich merken, wann man malen und wann man mahlen schreibt? (➜ S. 303)

23. 🚶‍♂️ Bilde aus den folgenden Berufsbezeichnungen drei Gruppen:
Spengler, Fleischer, Klempner, Schreiner, Schlachter, Tischler, Fleischhauer, Flaschner

(➜ S. 303)

Das Sternchen* im Wörterverzeichnis bedeutet: Dieses Wort wird nicht überall in Deutschland gebraucht, nur in bestimmten Gegenden. Darum steht immer eine Erklärung dahinter.

S. 229 Diese Seitenzahl sagt dir, auf welcher Seite noch mehr über das Wort steht.

A a

Aal, die Aale
der A|bend, die Abende,
am Abend, eines Abends,
heute Abend, abends,
das Abendessen S. 229,
das Abendmahl
das A|ben|teu|er, die Aben-
teuer, abenteuerlich
a|ber
der A|ber|glau|be,
abergläubisch
ab|fah|ren, die Abfahrt
der Ab|fall, die Abfälle S. 227
der Ab|ge|ord|ne|te (bei
Frauen: die Abgeord-
nete), die Abgeordneten
der Ab|grund, die Abgründe
der Ab|hang, die Abhänge
ab|kür|zen, sie kürzte
ab, die Abkürzung
ab|leh|nen,
die Ablehnung
ab|len|ken
ab|ma|chen
ab|mel|den,
die Abmeldung
a|bon|nier|en, ich abon-
nierte, das Abonnement
der Ab|schied, verabschieden
ab|schlie|ßen,
der Abschluss

ab|schnei|den,
der Abschnitt
ab|schrei|ben,
die Abschrift
ab|seits, der Spieler war
abseits, stand im Abseits
ab|sen|den,
der Absender
die Ab|sicht, die Absichten,
absichtlich
ab|stam|men,
er stammte ab,
die Abstammung
der Ab|stand, die Abstände
ab|stim|men,
die Abstimmung
ab|stür|zen, der Absturz
das Ab|teil, die Abteile,
die Ab|tei|lung → Teil
ab|trock|nen
ab|wärts
der Ab|wasch* (Geschirr-
spülen)
ab|wechseln
ab|wehren, die Abwehr
das Ab|zeichen
die Ach|se, die Achsen
die Ach|sel, die Achseln
acht, achtzehn, achtzig,
achtmal, ein Achtel
ach|ten, er achtete,
nimm dich in Acht!, gib
Acht!, Achtung, achtlos
ach|tern* (hinten)

der A|cker, die Äcker,
  ackern S. 226
  ad|die|ren, er addierte
der A|del, der Ad(e)lige
die A|der, die Adern
das Ad|jek|tiv,
  die Adjektive S. 238
der Ad|ler, die Adler
die A|dres|se, die Adressen,
  adressieren
der Ad|vent,
  der Adventskalender,
  der Adventskranz
  „Adventus" (lateinisch) hieß:
  Ankunft. Advent ist die Zeit vor
  der Ankunft des Christkindes:
  Vorweihnachtszeit.
der Af|fe, die Affen
  Af|ri|ka, der Afrikaner,
  afrikanisch
  ah|nen, sie ahnte
  ähn|lich, die Ähnlichkeit
die Ah|nung, ahnungslos
der A|horn, die Ahorne
die Äh|re, die Ähren
  ak|ku|rat* (genau)
der Ak|ku|sa|tiv
die Ak|te, die Akten,
  die Aktentasche
  ak|tiv
der A|larm, alarmieren
  al|bern, die Albernheit
das Al|bum, die Alben
der Al|ko|hol
  al|le, alles

  al|lein
am al|ler|bes|ten
  al|ler|dings
  al|ler|hand
  Al|ler|hei|li|gen
  al|ler|lei
  all|ge|mein
  all|mäh|lich
  all|weil* (immer)
  all|zu, allzu schlecht
die Al|pen
das Al|pha|bet, alphabetisch
  als
  al|so
  alt, der Alte
der Al|tar, die Altäre
das Al|ter, das Altersheim
  am (an dem Haus)
die A|mei|se, die Ameisen
  A|me|ri|ka, der Ame-
  rikaner, amerikanisch
die Am|pel, die Ampeln
die Am|sel, die Amseln
das Amt, die Ämter, amtlich
  an, ans (an das Haus)
  an|bie|ten, das Angebot
die An|dacht, die An-
  dachten, andächtig
das An|den|ken,
  die Andenken
  an|de|re, anders
  än|dern, er änderte,
  die Änderung
  an|er|ken|nen,

A
B
C
D
E
F
G
H
I
J
K
L
M
N
O
P
Q
R
S
T
U
V
W
X
Y
Z

sie erkannte an,
die Anerkennung
der **An|fall,** die Anfälle,
anfällig
an|fan|gen, der Anfang,
anfangs
an|for|dern,
die Anforderung
an|fra|gen, die Anfrage
an|ge|ben, der Angeber,
die Angabe
der **An|ge|hö|ri|ge** (bei
Frauen: die Angehörige),
die Angehörigen
der **An|ge|klag|te** (bei
Frauen: die Angeklagte),
die Angeklagten
die **An|gel,** die Angeln,
der Angler, angeln
die **An|ge|le|gen|heit,**
die Angelegenheiten
an|ge|nehm
der **An|ge|stell|te** (bei
Frauen: die Angestellte),
die Angestellten
sich **an|ge|wöh|nen,**
die Angewohnheit
die **An|gi|na**
an|grei|fen, der Angriff
die **Angst,** die Ängste,
ängstlich, er hat Angst
der **An|hän|ger,**
die Anhänger
der **An|ker,** die Anker, ankern

an|kom|men,
die Ankunft
die **An|la|ge,** die Anlagen
der **An|lauf,** die Anläufe
an|leh|nen
an|mel|den
an|neh|men,
die Annahme
der **A|no|rak,** die Anoraks
an|re|den, die Anrede
an|ru|fen, der Anruf
die **An|schau|ung,** die An-
schauungen, anschaulich
an|schei|nend, es hat
den Anschein
➔ scheinbar
Er vermutet: Anscheinend
ist sie fortgegangen.
an|schlie|βen,
der Anschluss
die **An|schrift,**
die Anschriften
an|se|hen, die Ansicht
➔ sehen
der **An|spruch,**
die Ansprüche S. 228
an|stän|dig, der Anstand
an|statt
an|ste|cken,
die Ansteckung
an|stel|len,
die Anstellung
sich **an|stren|gen,** er strengte
sich an S. 225,
die Anstrengung

der **An|teil,** die Anteile
➜ Teil
die **An|ten|ne,** die Antennen
der **An|trag,** die Anträge S. 228
ant|wor|ten, sie antwor-
tete S. 223, die Antwort
an|wei|sen, sie wies an,
die Anweisung
an|wen|den,
die Anwendung
die **An|zahl**
an|zah|len,
die Anzahlung
an|zei|gen, die Anzeige
an|zie|hen, der Anzug
an|zün|den
a|per* (schneefrei
werdend)
der **Ap|fel,** die Äpfel
die **Ap|fel|si|ne,**
die Apfelsinen
In Holland nannte man diese
Frucht früher „appelsina":
Apfel aus China.
die **A|po|the|ke,** die Apo-
theken, der Apotheker
der **Ap|pa|rat,** die Apparate
der **Ap|pe|tit,** appetitlich
der **A|pril**
Die Römer sagten: Aprilis.
das **A|qua|ri|um,**
die Aquarien
„Aqua" (lateinisch) hieβ:
Wasser.
ar|bei|ten, er arbeitete

S. 225, 229, die Arbeit
S. 207, der Arbeiter,
der Arbeitgeber, der Ar-
beitnehmer, arbeitslos,
der Arbeitslose
der **Ar|chi|tekt,**
die Architekten
är|gern, sie ärgerte,
der Ärger, ärgerlich, arg
arm sein, ärmlich
der **Arm,** die Arme
Der <u>Arm</u> steckt im <u>Ärm</u>el.
die **Ar|mee,** die Armeen
die **Art,** die Arten, die Art
und Weise
ar|tig
der **Ar|ti|kel,** die Artikel S. 238
der **Arzt,** die Ärzte,
die Arznei ➜ Rezept
die **A|sche**
A|si|en, der Asiate,
asiatisch
der **As|sis|tent,**
die Assistenten
der **Ast,** die Äste
der **A|tem,** atmen, atemlos
der **At|lan|tik,**
der Atlantische Ozean
der **At|las,** die Atlanten
oder: die Atlasse
at|men, sie atmete
das **A|tom,** die Atome
das **At|test,** die Atteste
auch

auf
der **Auf|ent|halt,**
  die Aufenthalte
  auf|fal|len, auffällig
  auf|fas|sen,
  die Auffassung
  auf|for|dern,
  die Aufforderung
die **Auf|ga|be,** die Aufgaben
  auf|ge|hen, der Aufgang
  auf|hö|ren
  auf|le|gen, die Auflage
  auf|merk|sam,
  die Aufmerksamkeit
  auf|neh|men,
  die Aufnahme S. 227
der **Auf|neh|mer***
  (Scheuertuch)
  auf|pas|sen, sie passte
  auf
  auf|räu|men, er räumte
  auf
  auf|recht ➜ recht
  auf|re|gen,
  die Aufregung
der **Auf|satz,** die Aufsätze
  S. 228
der **Auf|schnitt** ➜ schneiden
die **Auf|sicht**
  auf|sper|ren*
  (aufschließen)
  auf|ste|hen, der Aufstand
  auf|stel|len,
  die Aufstellung

der **Auf|trag,** die Aufträge
  S. 228
  auf|tre|ten, der Auftritt
  ➜ treten
der **Auf|wand,** aufwändig
  auf|wärts
der **Auf|wasch***
  (Geschirrspülen)
  auf Wie|der|se|hen!
der **Auf|zug,** die Aufzüge
das **Au|ge,** die Augen,
  das Augenlid,
  die Augenwimper
der **Au|gen|blick,** die Augen-
  blicke, augenblicklich
der **Au|gust**
  Die Römer nannten diesen
  Monat nach ihrem Kaiser
  Augustus.
  aus
  aus|bil|den,
  die Ausbildung
die **Aus|dau|er**
  aus|deh|nen,
  die Ausdehnung
  aus|drü|cken, der Aus-
  druck, ausdrücklich
  aus|ein|an|der
der **Aus|flug,** die Ausflüge
  aus|führ|lich
  aus|ge|ben, die Ausgabe
  aus|ge|hen, der Ausgang
  aus|ge|zeich|net,
  auszeichnen,
  die Auszeichnung

die **Aus|kunft,** die Auskünfte

das **Aus|land,** der Ausländer,
ausländisch

die **Aus|nah|me,**
die Ausnahmen,
ausnahmsweise S. 227

der **Aus|puff,** die Auspuffe

aus|rech|nen,
die Ausrechnung

die **Aus|re|de,** die Ausreden

aus|rei|chend

aus|ru|fen, der Ausruf

au|ßen

au|ßer, außerdem,
außerhalb

äu|ßer|lich

äu|ßern, die Äußerung

au|ßer|or|dent|lich

die **Aus|sicht,** die Aussichten

aus|spre|chen, der Aus-
spruch, die Aussprache

aus|stel|len,
die Ausstellung

aus|ver|schämt*
(unverschämt)

aus|wäh|len,
die Auswahl

aus|wan|dern,
der Auswanderer,
die Auswanderung

aus|wärts

der **Aus|weg,** die Auswege

sich **aus|wei|sen,** er wies sich
aus, der Ausweis

aus|wen|dig

aus|zan|ken*
(ausschimpfen)

aus|zeich|nen,
die Auszeichnung

das **Au|to,** die Autos S. 213,
die Autobahn,
Auto fahren,
der Autofahrer S. 227

„Auto" (griechisch) hieß:
selbst. Das Auto bewegt sich
selbst. Der Automat arbeitet
selbst. Das Autogramm ist
selbst geschrieben.

der **Au|to|mat,**
die Automaten,
automatisch ➔ Auto

die **Axt,** die Äxte

B b

das **Ba|by,** die Babys
der **Bach,** die Bäche
die **Ba|cke,** die Backen
    ba|cken, er bäckt (auch:
    backt), sie backte (auch:
    buk), der <u>Bäck</u>er, die
    <u>Bäck</u>erei, das Ge<u>bäck</u>
    <small>Ein Stück Ton oder Lehm, im
    Ofen ge<u>backen</u>, wird ein <u>Back</u>-
    stein.</small>
das **Bad,** die Bäder,
    die Badewanne
    ba|den, sie badete
    Ba|den-Würt|tem|berg,
    der Baden-Württember-
    ger, baden-württember-
    gisch
der **Bag|ger,** die Bagger
die **Bahn,** die Bahnen, der
    Bahnhof, der Bahnsteig,
    einen Weg bahnen,
    Bahn brechen, bahn-
    brechend
die **Bah|re,** die Bahren
    bald
die **Bal|ge*** (Waschgefäß)
der **Bal|ken,** die Balken
der **Bal|kon,** die Balkone
    oder: die Balkons
der **Ball,** die Bälle,
    wir spielen Ball
der **Bal|lon,** die Ballone
    oder: die Ballons

die **Ba|na|ne,** die Bananen
das **Band,** die Bänder S. 226
die **Ban|de,** die Banden S. 226
das **Bän|del,** die Bändel
    ban|ge, ich bin bange;
    nur keine Bange!
die **Bank** (im Garten),
    die Bänke
die **Bank** (Sparkasse),
    die Banken
    ban|nig* (sehr)
die **Ban|se*** (Lagerraum)
    bar
    <small>Anderes Wort für „nackt" und
    „bloß"; „<u>barfuß</u>" heißt: mit
    bloßen Füßen. Ich zahle <u>bar</u>.</small>
der **Bär,** die Bären
die **Ba|ra|cke,** die Baracken
    barm|her|zig,
    die Barmherzigkeit
das **Ba|ro|me|ter,**
    die Barometer
der **Bart,** die Bärte, bärtig
die **Ba|se,** die Basen
der **Bass,** die Bässe
der **Bast**
    bas|teln, ich bastle,
    sie bastelte
die **Bat|te|rie,** die Batterien
der **Bau,** die Baue (von Tie-
    ren) oder: die Bauten
    (für Gebäude), das Ge-
    bäude S. 226 ➜ Bauer
der **Bauch,** die Bäuche,
    die Bauchschmerzen,
    das Bauchgrimmen

bau|en, sie baute S. 226

der **Bau|er,** die Bauern S. 226
Bauer und Bäuerin be<u>bau</u>en
ihre Felder.

das/der **Bau|er** (Vogelbauer),
die Bauer S. 226

der **Baum,** die Bäume

Bay|ern, der Bayer,
bayerisch

be|ach|ten, er beachtete

der **Be|am|te** (bei Frauen: die
Beamtin), die Beamten

be|an|tra|gen,
sie beantragte

das **Be|cken,** die Becken

sich **be|dan|ken,** sie bedank-
te sich

der **Be|darf**

be|dau|ern, sie bedau-
erte, bedauerlich

be|den|ken,
die Bedenken

be|deu|ten, es bedeu-
tete, die Bedeutung,
bedeutend

be|die|nen,
die Bedienung

die **Be|din|gung,**
die Bedingungen

sich **be|ei|len**

be|er|di|gen,
sie beerdigte

die **Bee|re,** die Beeren

das **Beet,** die Beete

be|feh|len, sie befiehlt,
sie befahl, befohlen,
der Befehl

be|fes|ti|gen,
sie befestigte
Eine Be<u>fest</u>igung ist gegen
Feinde <u>fest</u> gemacht.

sich **be|fin|den,** er befand
sich, befunden

be|frei|en, er befreite,
die Befreiung

be|frie|di|gen, er befrie-
digte, befriedigend,
die Befriedigung

be|fruch|ten, er befruch-
tete, die Befruchtung

be|gabt, die Begabung
Wem es von Natur gegeben
ist, gut malen zu können, der
ist mit dieser <u>Gabe</u> be<u>gab</u>t.

be|geg|nen, er begeg-
nete, die Begegnung

be|geis|tern, er begeis-
terte, begeistert,
die Begeisterung

be|gin|nen, sie begann,
begonnen, der Beginn

be|glei|ten, sie beglei-
tete ihn, die Begleitung

be|grei|fen, er begriff es,
der Begriff

be|grün|den, sie begrün-
dete, die Begründung
➙ Grund

be|grü|ßen,
die Begrüßung

be|hal|ten, der Behälter

be|han|deln, sie behandelte, die Behandlung
Der Zahnarzt be<u>hand</u>elt uns mit seinen <u>Händ</u>en.

be|haup|ten, er behauptete, die Behauptung

die **Be|hör|de,** die Behörden

bei, beim (<u>bei</u> de<u>m</u> Haus)

beich|ten, er beichtete, die Beichte

bei|de

der **Bei|fall** S. 227

die **Bei|ge*** (Stapel), Holz beigen

das **Beil,** die Beile

das **Bein,** die Beine
Früher bedeutete „Bein": Knochen. Diese Bedeutung ist noch bei Knochennamen erhalten: Schien<u>bein</u>, Nasen<u>bein</u>, Stirn<u>bein</u>, Steiß<u>bein</u>. Eine alte Redensart: „Es geht mir durch Mark und <u>Bein</u>." Die Knochenreste von Toten nennt man „Ge<u>bein</u>e".

bei|nahe

das **Bei|spiel,** die Beispiele, zum Beispiel, kurz: z.B.

bei|ßen, er beißt, er bi<u>ss</u>, gebi<u>ss</u>en, der Bi<u>ss</u>, das Gebi<u>ss</u>, der Bi<u>ss</u>en, bi<u>ss</u>ig

be|kannt, der Bekannte (bei Frauen: die Bekannte), bekanntlich, die Bekanntschaft

be|kom|men, er be<u>kam</u>

be|läs|ti|gen,
sie belästigte

be|lei|di|gen, er beleidigte, die Beleidigung

Bel|gi|en, der Belgier, belgisch

bel|len, er bellte

be|loh|nen, sie belohnte, die Belohnung

be|mer|ken,
die Bemerkung,
er macht sich bemerkbar

be|mü|hen, er bemühte sich, die Bemühung

sich **be|neh|men,**
sie beni<u>mm</u>t sich,
sie benahm sich,
sie hat sich beno<u>mm</u>en,
beni<u>mm</u> dich! S. 227,
schlechtes Benehmen

be|nut|zen, die Benutzung, der Benutzer

das **Ben|zin**

be|ob|ach|ten,
er beobachtete S. 222,
die Beobachtung

be|quem,
die Bequemlichkeit

be|ra|ten, die Beratung

be|rech|ti|gen, er berechtigte, die Berechtigung

be|reit

be|rei|ten, sie bereitete

be|reits

der **Berg,** die Berge, bergig,
bergauf und bergab,
das Bergwerk → Burg
ber|gen, er birgt, er barg,
geborgen → Burg
be|rich|ten, sie berich-
tete S. 223, der Bericht,
die Berichtigung
Ber|lin, der Berliner,
berlinerisch
be|rück|sich|ti|gen,
er berücksichtigte
der **Be|ruf,** die Berufe S. 208,
beruflich, berufstätig
be|ru|hi|gen, er beruhig-
te, die Beruhigung
be|rühmt
be|rüh|ren, er berührte,
die Berührung
be|schä|di|gen,
er beschädigte,
die Beschädigung
be|schäf|ti|gen,
er beschäftigte S. 225,
die Beschäftigung
der **Be|scheid,** die Beschei-
de, ich weiß Bescheid
die **Be|schei|den|heit,**
bescheiden sein
be|schei|ni|gen,
er bescheinigte,
die Bescheinigung
be|sche|ren, er bescherte
S. 225, die Bescherung

be|schlie|ßen, er
beschloss, beschlossen
der **Be|schluss,**
die Beschlüsse
be|schrän|ken,
er beschränkte,
die Beschränkung
be|schrei|ben,
die Beschreibung
be|schüt|zen, der Schutz
be|schwe|ren (schwer
machen)
sich **be|schwe|ren,**
er beschwerte sich,
die Beschwerde
be|sei|ti|gen,
sie beseitigte,
die Beseitigung
der **Be|sen,** die Besen
be|set|zen, sie besetzte,
die Besetzung, die
Besatzung S. 228
be|sich|ti|gen,
sie besichtigte S. 222,
die Besichtigung
be|sit|zen, er besitzt,
er besaß, hat besessen,
der Besitz S. 228
Wer zum Beispiel auf einer
Burg sitzt, ist ihr Besitzer.

be|son|ders
be|sor|gen, sie besorgte
be|spre|chen,
die Besprechung S. 228
bes|ser

be|stä|ti|gen,
er bestätigte

die **bes|te** Antwort,
am besten; das Beste

das **Be|steck,** die Bestecke

be|ste|hen, sie besteht,
sie bestand, der Bestand

be|stel|len, sie bestellte,
die Bestellung

die **Bes|tie,** die Bestien

be|stim|men, er be-
stimmte, ganz bestimmt

be|su|chen, der Besuch,
der Besucher

be|tei|li|gen, sie betei-
ligte, die Beteiligung

be|ten, sie betete,
das Gebet

be|trach|ten,
sie betrachtete S. 222,
die Betrachtung

der **Be|trag,** die Beträge

be|tra|gen, der Preis
beträgt, betrug 10 €

sich be|tra|gen, er beträgt
sich gut, er betrug sich,
sein Betragen S. 228

der **Be|trieb,** die Betriebe

be|trü|gen, sie betrügt,
sie betrog, der Betrug,
der Betrüger

das **Bett,** die Betten

bet|teln, sie bettelte,
der Bettler

beu|gen, er beugte

die **Beu|le,** die Beulen S. 229

die **Beu|te,** erbeuten

der **Beu|tel,** die Beutel

die **Be|völ|ke|rung,** das
Volk, bevölkert

be|vor

be|we|gen, sie bewegte,
die Bewegung,
beweglich

be|wei|sen, er beweist,
er bewies, der Beweis

sich be|wer|ben, er bewirbt
sich, er bewarb sich, be-
worben, die Bewerbung

be|zie|hen S. 228,
die Beziehung, bezie-
hungsweise (kurz: bzw.)

der **Be|zirk,** die Bezirke

der **Be|zug,** die Bezüge

die **Bi|bel,** die Bibeln

die **Bi|bli|o|thek,** die Biblio-
theken, der Bibliothekar

die **Bick|bee|re*** (Heidel-
beere) S. 230

bie|gen, sie biegt,
sie bog, die Biegung

die **Bie|ne,** die Bienen

das **Bier,** die Biere

bie|ten, sie bot

das **Bild,** die Bilder

bil|den, sie bildete,
die Bildung

bil|lig

ich **bin** (Grundform: sein)
bin|den, er band,
gebunden, die Bindung
S. 226
bin|nen* (innen)
die **Bi|o|gra|fie/Bi|o|gra|phie**
die **Bi|o|lo|gie,** biologisch
die **Bir|ke,** die Birken
die **Bir|ne,** die Birnen
bis, aber: er bi**ss**
der **Bi|schof,** die Bischöfe
Im alten Griechenland bedeu-
tete ein ähnliches Wort: Auf-
seher einer Kirchengemeinde.
bis|her
ein **biss|chen**
du **bist** (Grundform: sein)
bit|ten, sie bittet, sie
bat, gebeten, die Bitte
bit|ter
die **Bla|ma|ge**
blank
die **Bla|se,** die Blasen
bla|sen, er bläst, er blies
blass, die Blässe
das **Blatt,** die Blätter
blät|tern, er blätterte
Wer in einem Buch die Blätter
(Seiten) umschlägt, blättert.
blau
die **Blau|bee|re*** (Heidel-
beere) S. 230
das **Blau|kraut*** (Rotkohl)
S. 231
das **Blech,** die Bleche

der **Blech|ner*** S. 230
das **Blei**
blei|ben, er bleibt,
er blieb
bleich
der **Blei|stift,** die Bleistifte
Früher schrieb man mit Stiften
aus Blei. Als man besseres
Material fand, blieb der Name.
blen|den, es blendete
bli|cken, sie blickte,
der Blick
blind, der Blinde
der **Blind|darm,** die Blind-
darmentzündung
blin|ken, er blinkte,
der Blinker
blin|zeln, er blinzelte
S. 222
blit|zen, es blitzt,
es blitzte, der Blitz,
blitzschnell
der **Block,** die Blöcke oder:
die Blocks
blöd, blöde,
der Blödsinn
blond
bloß
blü|hen, es blühte, aber:
die Blüte
die **Blu|me,** die Blumen
die **Blu|se,** die Blusen
das **Blut,** blutig
die **Blü|te,** die Blüten, aber:
es blühte

blu|ten, es blutete
der **Bock,** die Böcke, bockig
der **Bo|den,** die Böden
der **Bo|gen,** die Bögen oder:
    die Bogen
die **Boh|ne,** die Bohnen
    boh|ren, sie bohrte,
    der Bohrer
die **Bom|be,** die Bomben
das/der **Bon|bon,**
    die Bonbons S. 229
    „Bon" (französisch) heißt: gut.
das **Boot,** die Boote
das **Bord,** die Borde,
    der Bordstein, an Bord
    des Schiffes
    bor|gen, er borgte
    bö|se, böswillig, boshaft
der **Bo|te,** die Boten
    bo|xen, er boxte,
    der Boxer
der **Brand,** die Brände
    Bran|den|burg,
    der Brandenburger,
    brandenburgisch
    bra|ten, er brät, er briet,
    der Braten
    brau|chen, er brauchte,
    der alte Brauch
    braun, bräunen
die **Brau|se,** die Brausen
    brau|sen, es brauste
die **Braut,** die Bräute,
    der Bräutigam

brav, bra|vo
bre|chen, sie bricht, sie
    brach, gebrochen S. 226
der **Brei,** breiig
    breit, die Breite
    Bre|men, der Bremer,
    bremisch
    brem|sen, er bremste,
    die Bremse
    bren|nen, es brennt, es
    brannte, aber: der Brand
die **Brenn|nes|sel,**
    die Brennnesseln
das **Brett,** die Bretter
die **Bre|zel,** die Brezeln
der **Brief,** die Briefe,
    die Briefmarke
das **Bri|kett,** die Briketts
die **Bril|le,** die Brillen
    brin|gen, sie brachte
die **Bri|se,** die Brisen
der **Bro|cken,** die Brocken,
    bröckeln S. 226,
    bröck(e)lig
die **Brom|bee|re,**
    die Brombeeren
die **Bron|ze**
das **Brot,** die Brote, das
    Brötchen, die Brotzeit*
    S. 229
der **Bruch,** die Brüche,
    brüchig S. 226
die **Brü|cke,** die Brücken
der **Bru|der,** die Brüder,

brüderlich

die **Brü|he,** verbrühen

brül|len, sie brüllte,
das Gebrüll

brum|men, er brummte,
der Brummer

der **Brun|nen,** die Brunnen

die **Brust,** die Brüste

> Eine <u>brust</u>hohe Schutzwand
> heißt <u>Brüst</u>ung. Wer angebe-
> risch die <u>Brust</u> vorstreckt,
> <u>brüst</u>et sich.

bru|tal, die Brutalität

brü|ten, sie brütete

brut|to

der **Bu|b(e),** die Buben

das **Buch,** die Bücher

> Vor mehr als tausend Jahren
> schrieben unsere Vorfahren auf
> Tafeln aus Buchenholz. Man
> nannte ein Buch und die Buch-
> staben nach dem Baum Buche.

die **Bu|che,** die Buchen

die **Büch|se,** die Büchsen

der **Buch|sta|be,** die Buch-
staben, buchstabieren
➔ Buch

die **Bucht,** die Buchten

der **Bu|ckel,** die Buckel,
bucklig

sich **bü|cken,** sie bückte sich

die **Bu|de,** die Buden

bü|geln, sie bügelte,
das Bügeleisen

die **Büh|ne,** die Bühnen

Bul|ga|ri|en,
der Bulgare, bulgarisch

bum|meln, er bummelte
S. 222, Bummel

der **Bund,** die Bünde

das **Bund,** die Bunde, der/das
Schlüsselbund S. 226

das **Bün|del,** die Bündel S. 226

die **Bun|des|re|gie|rung,**
die Bundesregierungen

die **Bun|des|re|pu|blik** S. 226

die **Bun|des|wehr**

das **Bünd|nis,**
die Bündnisse S. 226

bunt, der Buntstift

die **Burg,** die Burgen

> Das Wort bedeutet ursprüng-
> lich: befestigter, gegen Feinde
> gesicherter Berg, auf dem man
> sich bergen kann.

der **Bür|ger,** die Bürger,
der Bürgermeister

das **Bü|ro,** die Büros

der **Bur|sche,** die Burschen

bürs|ten, sie bürstete,
die Bürste

der **Bus,** die Busse, Autobus
➔ Auto ➔ Omnibus

der **Busch,** die Büsche,
das Büschel ➔ Gebüsch

der **Bu|sen,** die Busen

bü|ßen, sie büßte,
die Buße, der Büßer

das **Bus|serl*** (Küsschen)

bu|ten* (außen)

die **But|ter,** die Buttermilch,
das Butterbrot

A B C D E F G H I J K L M N O P Q R S T U V W X Y Z

C c

das **Ca|fé,** die Cafés
der **Cam|ping|platz,**
    die Campingplätze
die **Cas|set|te** (englisch)
der **CD-Spie|ler**
    Cel|si|us, kurz: C
    Wir teilen das Thermometer in
    Grade ein, wie es der Schwede
    Celsius vorschlug: 17 Grad
    Celsius (17 °C).
der **Cent,** die Cents
die **Chan|ce,** die Chancen
der **Cha|rak|ter,** die Charak-
    tere, charakteristisch
der **Char|ter|flug**
die **Che|mie**
    Chi|na, der Chinese,
    chinesisch
der **Chor,** die Chöre
der **Christ**, die Christen,
    Christus, christlich
die **Ci|ty,** die Citys
der **Clown,** die Clowns
der **Club,** die Clubs
der **Co|mic,** die Comics
der **Com|pu|ter,**
    die Computer
der **Con|tai|ner,**
    die Container
der **Cow|boy,** die Cowboys
die **Cre|me,** die Cremes

D d

    da
    da|bei
das **Dach,** die Dächer
der **Dachs,** die Dachse
der **Da|ckel,** die Dackel
    da|durch
    da|für
    da|ge|gen
    da|heim
    da|her
    da|hin
    da|hin|ter
    da|mals
die **Da|me,** die Damen
    „Madame" (französisch) hieß
    ursprünglich: meine Dame,
    jetzt: (gnädige) Frau.
    da|mit
    däm|lich
der **Damm,** die Dämme,
    eindämmen
die **Däm|me|rung,**
    dämmern, dämm(e)rig
der **Dampf,** die Dämpfe
    dampfen, er dampfte
    da|nach
    da|ne|ben
    Dä|ne|mark, der Däne,
    dänisch
    dan|ken, er dankte, der
    Dank, die Dankbarkeit,
    dankbar, danke schön

dann
da|ran
da|rauf
da|raus
da|rin
der **Darm,** die Därme
da|rü|ber
da|rum
da|run|ter
das, aber: ➔ da<u>ss</u>
dass, ich weiß, dass ...;
aber: da<u>s</u> Haus
das|sel|be
der **Da|tiv**
der **Dat|schi*** (Kuchen)
das **Da|tum,** die Daten
dau|ern, es dauerte,
dauernd, die Dauer
der **Dau|men,** die Daumen
da|von
da|vor
da|zu
da|zwi|schen
die **DDR** (<u>D</u>eutsche <u>D</u>emo-
kratische <u>R</u>epublik)
die **De|cke,** die Decken,
der Deckel, die
Deckung, das Verdeck,
aufdecken, bedecken,
entdecken, verdecken

Eine <u>Decke</u> be<u>deck</u>t oder
ver<u>deck</u>t etwas. Wenn wir sie
auf<u>deck</u>en, ent<u>deck</u>en wir, was
darunter ist.

de|cken, er deckte
➔ Decke

die **Deern*** (Mädchen) s. 230
de|fekt, der Defekt
deh|nen, sie dehnte,
die Dehnung, gedehnt,
aber: ➔ <u>den</u>en
der **Deich,** die Deiche
die **Deich|sel,** die Deichseln
dein
dem, in de<u>m</u> Wagen
dem|nach
dem|nächst
die **De|mo|kra|tie,**
die Demokratien, der
Demokrat,
demokratisch

In vielen Ländern herrschen
Menschen mit Gewalt über
andere.
Es gibt aber Länder, wo die
Menschen ihre Regierung
selber wählen und sie dann
kontrollieren. Vor über 2000
Jahren nannten das die
Griechen „Demokratie" (Volks-
herrschaft): „demos" hieß
„Volk", „kratos" hieß „Macht".

de|mon|strie|ren,
sie demonstrierte,
die Demonstration,
der Demonstrant

„Demonstrare" (lateinisch)
hieß: deutlich machen.
Wer demonstriert, macht
seine Meinung deutlich.

die **De|mut,** demütig
den, er hat de<u>n</u> Ball;
aber: ➔ de<u>nn</u>
de|nen werden wir es
zeigen!; aber: ➔ de<u>h</u>nen

A
B
C
D
E
F
G
H
I
J
K
L
M
N
O
P
Q
R
S
T
U
V
W
X
Y
Z

A
B
C
D
E
F
G
H
I
J
K
L
M
N
O
P
Q
R
S
T
U
V
W
X
Y
Z

den|ken, sie dachte,
das Denken, denkbar

das **Denk|mal,** die Denk-
mäler

Ein Mal, das uns helfen soll, an
etwas Bestimmtes zu denken.

denn, wann denn?;
aber: ➡ de<u>n</u>

den|noch

der **Depp*** (Dummkopf)

der

der|ar|tig

derb

de|ren

der|je|ni|ge

der|sel|be

des

des|halb

des|sen

des|to, desto besser

des|we|gen

der **De|tek|tiv,** die Detektive
➡ Decke

Mit „detect" (englisch) meint
man: aufdecken. Der Detektiv
deckt Verbrechen auf.

deut|lich, deuten,
die Deutlichkeit

deutsch, er spricht
deutsch, auf Deutsch

Deutsch|land,
ein Deutscher

der **De|zem|ber**

Bei den Römern war dies der
zehnte Monat, und zehn hieß
„decem".

der/das **De|zi|me|ter,**
drei Dezimeter (3 dm)

„Dezi..." heißt: Zehntel. Ein
Dezimeter ist ein Zehntel
Meter, also 10 Zentimeter.

das **Dia,** die Dias

der **Di|a|lekt,** die Dialekte

der **Di|a|mant,**
die Diamanten

die **Di|ät,** die Diäten

dich

dicht

dich|ten (mit Sprache
dichten), sie dichtete,
der Dichter, das Gedicht

dich|ten (ein Rohr dicht
machen), er dichtete,
die Dichtung

dick, der Dicke

das **Di|ckicht,** die Dickichte

die

der **Dieb,** die Diebe,
der Diebstahl

die **Die|le,** die Dielen

die|nen, er diente,
der Diener, der Dienst

der **Diens|tag,** die Dienstage,
dienstags, am Dienstag

Unsere Vorfahren, die Germa-
nen, nannten diesen Tag nach
einem ihrer Götter: Ziu.

dies, diese, dieser

der **Die|sel,** der Dieselmotor

die|sel|be

die|sig

dies|mal

dik|tie|ren, sie diktierte, das Diktat

das **Ding,** die Dinge

dir

di|rekt

der **Di|rek|tor,** die Direktoren, die Direktion

der **Di|ri|gent,** die Dirigenten, dirigieren

die **Dirn*** (Mädchen) S. 230

das **Dirndl*** (Trachtenkleid)

die **Dis|ket|te,** die Disketten

die **Dis|ko|thek,** kurz: Disko

dis|ku|tie|ren, sie diskutierte, die Diskussion

die **Dis|tel,** die Disteln

di|vi|die|ren, sie dividierte

doch

der **Docht,** die Dochte

der **Dok|tor,** die Doktoren

der **Dolch,** die Dolche

der **Dom,** die Dome

der **Domp|teur**

don|nern, es donnerte, der Donner

der **Don|ners|tag,** die Donnerstage, donnerstags, am Donnerstag

Die Germanen nannten vor mehr als tausend Jahren diesen Tag nach ihrem Donnergott Donar.

doof

dop|pelt, verdoppeln, doppelt so viel, das Doppelte, der Doppelpunkt

das **Dorf,** die Dörfer, dörflich

der **Dorn,** die Dornen, dornig

dör|ren, sie dörrte

dort, dorthin

die **Do|se,** die Dosen

dö|sen, sie döste

der/das **Dot|ter,** die Dotter

der **Dra|che** (im Märchen), die Drachen

der **Dra|chen,** die Drachen

der **Draht,** die Drähte, drahtig

drall* (derb, stramm)

dran

drän|geln, sie drängelte, die Drängelei

drän|gen, er drängte, der Drang, das Gedränge

drau|ßen

der **Dreck,** dreckig

dre|hen, er drehte, die Drehung

drei, dreizehn, dreißig, dreimal, drei Viertel aller Kinder, eine Dreiviertelstunde, dreieckig

Seit Urzeiten ist die Zahl Drei etwas Besonderes. Sie kommt in vielen Sagen und Märchen vor. Das Sprichwort „Aller guten Dinge sind drei" ist wahrscheinlich ein paar tausend Jahre alt.

A B C D E F G H I J K L M N O P Q R S T U V W X Y Z

dre|schen, er drischt,
er drosch
drif|ten* (treiben)
drin
drin|gen, sie drang
darauf, gedrungen
drin|gend
der **drit|te** Teil, ein Drittel,
drittens → drei
die **Dro|ge|rie,** die Droge-
rien, der Drogist
dro|hen, er drohte,
die Drohung, drohend
dröh|nen, es dröhnte,
dröhnend
drol|lig
der/das **Drops,** die Dropse
die **Dros|sel,** die Drosseln
drü|ben
dru|cken, er druckte,
der Druck, die Druckerei
drü|cken, sie drückte,
der Drückeberger
die **Drü|se,** die Drüsen
der **Dschun|gel,**
die Dschungel
du
der **Dü|bel,** die Dübel
sich **du|cken,** sie duckte sich
duff* (matt)
duf|ten, es duftete,
der Duft, duftig
dul|den, er duldete
die **Dult*** (Jahrmarkt)

dumm, die Dummheit,
der Dummkopf
dumpf
die **Dü|ne,** die Dünen
dun|kel, verdunkeln,
die Dunkelheit
dünn
der **Dunst,** die Dünste,
dunstig
durch, durchaus
durch|ein|an|der,
das Durcheinander
der **Durch|schnitt,**
durchschnittlich
durch|sich|tig
dür|fen, er darf, er durfte
dürf|tig
dürr, die Dürre
der **Durst,** dursten, durstig
du|schen, er duschte,
die Dusche
die **Dü|se,** die Düsen
der **Du|sel*** (unverdientes
Glück)
der **Dus|sel*** (Dummkopf)
der **Dust*** (Dunst, Staub)
dus|ter
düs|ter
das **Dut|zend,** die Dutzende,
dutzendweise
der **Dy|na|mo,** die Dynamos

E e

die **Eb|be**
   e|ben, die Ebene, ebnen
   e|ben|falls S. 227
   e|ben|so gut
das **E|cho,** die Echos
   echt, die Echtheit
die **E|cke,** die Ecken, eckig
   e|del, der Edelstein
der **E|feu**
   e|gal
die **Eg|ge,** die Eggen, eggen
der **E|go|ist,** die Egoisten,
   der Egoismus
   „Ego" (lateinisch) hieß: ich.
   e|he ich es sah; eher
die **E|he,** die Ehen
die **Eh|re,** die Ehren, ehren,
   ehrlich
der **Ehr|geiz,** ehrgeizig
das **Ei,** die Eier
die **Ei|che,** die Eichen,
   die Eichel
das **Eich|hörn|chen,**
   die Eichhörnchen
der **Eid,** die Eide
die **Ei|dech|se,** die Eidechsen
der **Ei|fer,** eifrig, eifersüchtig
   ei|gen, die Eigenschaft,
   das Eigentum
   ei|gent|lich
   ei|len, er eilte, die Eile,
   eilig

der **Ei|mer,** die Eimer
   ein, eine, einer
   ein|an|der
die **Ein|bahn|stra|ße,**
   die Einbahnstraßen
   ein|bil|den, eingebildet,
   die Einbildung
   ein|bre|chen,
   der Einbrecher S. 226
der **Ein|druck,** die Eindrücke
   ein|fach, die Einfachheit
   ein|fal|len, der Einfall
der **Ein|fluss,** die Einflüsse
der **Ein|gang,** die Eingänge
   ei|ni|ge, einigermaßen
   ei|ni|gen, sie einigten
   sich, die Einigung, einig
   ein|kau|fen, der Einkauf
das **Ein|kom|men,**
   die Einkommen
   ein|la|den, die Einladung
   ein|mal, einmalig
das **Ein|mal|eins**
   eins
   ein|sam, die Einsamkeit
   ein|se|hen, die Einsicht
   einst
   ein|stim|mig
die **Ein|tracht,** einträchtig
   ein|tre|ten, der Eintritt
   ein|ver|stan|den,
   das Einverständnis
der **Ein|wo|hner,**
   die Einwohner

A
B
C
D
E
F
G
H
I
J
K
L
M
N
O
P
Q
R
S
T
U
V
W
X
Y
Z

die **Ein|zahl** S. 237
ein|zeln, die Einzelheit
ein|zig
das **Eis,** eiskalt, eisig
das **Ei|sen,** die Eisen, eisern,
die Eisenbahn
ei|tel, die Eitelkeit
der **Ei|ter,** eitern, eitrig
der **E|kel,** sich ekeln, eklig,
ekelhaft
der **E|le|fant,** die Elefanten
e|le|gant
e|lek|trisch, die Elektri-
zität, der Elektriker S. 216
das **E|lend,** elend sein

In fremdem Land zu leben
macht die Menschen oft un-
glücklich. Das alte Wort
„ellende" hieß beides: „fremd"
und „unglücklich".

elf
der **Ell|bo|gen,** die Ellbogen

Einer der beiden Unterarm-
knochen heißt Elle.

die **El|ler*** (Erle)
die **Els|ter,** die Elstern
die **El|tern** (früher: Ältern)
emp|fan|gen, er emp-
fängt, er empfing, der
Empfang, der Empfänger
emp|feh|len, sie emp-
fiehlt, sie empfahl, emp-
fohlen, die Empfehlung
emp|fin|den, er emp-
fand, empfunden,
die Empfindung,

empfindlich
em|por, die Empore
em|pö|ren, sie empörte
sich, empört
em|sig
das **En|de,** die Enden,
endgültig, endlos
end|lich
die **E|ner|gie,** die Energien,
energisch
eng, die Enge
der **En|gel,** die Engel

Im alten Griechenland bedeu-
tete ein ähnliches Wort: Bote
Gottes.

Eng|land,
der Engländer, englisch
der **En|kel** (bei Mädchen:
die Enkelin), die Enkel
ent|beh|ren, sie entbehr-
te, die Entbehrung
ent|bin|den,
die Entbindung S. 226
ent|de|cken, er entdeckte
S. 222 ➜ Decke ➜ Detektiv
die **En|te,** die Enten
ent|fer|nen, sie entfernte,
die Entfernung, entfernt
ent|füh|ren,
die Entführung
ent|ge|gen
ent|geg|nen,
sie entgegnete
ent|glei|sen,
er entgleiste

ent|hal|ten,
die Enthaltung
ent|kom|men, sie entkam
ent|lang
ent|las|sen,
die Entlassung
ent|schei|den, sie ent-
schied, die Entscheidung
ent|schlie|ßen,
der Entschluss
ent|schul|di|gen,
er entschuldigte,
die Entschuldigung
ent|set|zen, sie entsetzte
sich, entsetzlich,
das Entsetzen S. 228
ent|ste|hen,
die Entstehung
ent|täu|schen, die Ent-
täuschung, enttäuscht
ent|we|der
ent|wer|fen, der Entwurf
ent|wi|ckeln,
sie entwickelte,
die Entwicklung
ent|zü|ckend
ent|zün|den,
die Entzündung
ent|zwei
er
er|ben, sie erbte,
vererben, der Erbe
die Erb|se, die Erbsen
der Erd|ap|fel* (Kartoffel)

die Erd|bir|ne* (Kartoffel)
die Er|de, das Erdbeben,
die Erdbeere,
das Erdgeschoss
sich er|eig|nen, es ereignete
sich, das Ereignis
der E|ren*, der Ern* (Haus-
flur)
er|fah|ren, er erfährt,
er erfuhr, die Erfahrung
S. 227
er|fin|den, die Erfindung
der Er|folg, die Erfolge,
erfolglos, erfolgreich
er|freu|lich
er|fül|len, die Erfüllung
er|gän|zen, er ergänzte,
die Ergänzung
er|ge|ben, das Ergebnis
er|hal|ten, die Erhaltung
er|ho|len, die Erholung
er|in|nern, sie erinnerte,
die Erinnerung
sich er|käl|ten, er erkältete
sich, die Erkältung S. 229
er|klä|ren, sie erklärte,
die Erklärung ➔ klar
er|lau|ben, er erlaubte,
die Erlaubnis
er|läu|tern, sie erläuterte
„lauter" hieß früher etwa: klar.
die Er|le, die Erlen
er|le|ben, das Erlebnis
er|le|di|gen, sie erledigte

A
B
C
D
E
F
G
H
I
J
K
L
M
N
O
P
Q
R
S
T
U
V
W
X
Y
Z

er|mah|nen,
die Ermahnung
er|näh|ren, sie ernährte,
die Ernährung
ernst, es ist mir Ernst
ern|ten, er erntete,
die Ernte
er|o|bern, sie eroberte,
die Eroberung
er|öff|nen, die Eröffnung
er|pres|sen,
der Erpresser
er|ra|ten
er|rei|chen
er|schei|nen,
die Erscheinung
er|schöpft
er|schre|cken,
er erschrickt,
ich erschrak, ich bin
erschrocken, denn sie
hat mich erschreckt;
der Schreck
er|schüt|tern, er er-
schütterte, erschüttert
er|set|zen S. 228,
der Ersatz
erst, sie geht als Erste,
das erste Beste, die erste
Hilfe, das erste Mal,
erstens
er|sti|cken, sie erstickte
erst|klas|sig
er|trin|ken, er ertrank,

ertrunken
er|wach|sen,
der Erwachsene
er|wäh|nen, er erwähnte
S. 223, die Erwähnung
er|war|ten,
die Erwartung
er|wer|ben, sie erwarb,
erworben
er|wi|dern, er erwiderte,
die Erwiderung ➜ wider
das **Erz,** die Erze
er|zäh|len, er erzählte
S. 223
er|zie|hen, die Erziehung,
der Erzieher ➜ ziehen
S. 228
es
die **E|sche,** die Eschen
der **E|sel,** die Esel
der **Es|ki|mo,** die Eskimos
es|sen, er isst, er aß,
gegessen, iss! S. 224,
essbar
der **Es|sig**
die **E|ta|ge,** die Etagen
das **E|tui,** die Etuis
et|wa
et|was
euch, euer
die **Eu|le,** die Eulen
der **Eu|ro,** die Euros, 3 €
Eu|ro|pa, die Europäer,
europäisch

e|van|ge|lisch

das **E|van|ge|li|um,**
die Evangelien
Im alten Griechenland
bedeutete ein ähnliches Wort:
freudige Botschaft.

e|wig, die Ewigkeit

das **E|xem|plar,**
die Exemplare

e|xis|tie|ren,
es existierte, die Existenz

die **Ex|pe|di|tion,**
die Expeditionen

das **Ex|pe|ri|ment,**
die Experimente,
experimentieren

ex|plo|die|ren,
es explodierte,
die Explosion

ex|tra

F f

die **Fa|bel,** die Fabeln

die **Fa|brik,** die Fabriken,
der Fabrikant

das **Fach,** die Fächer,
der Fachmann (➜ Mann),
das Fachwerk (➜ Werk)

die **Fa|ckel,** die Fackeln

fad, fade

der **Fa|den,** die Fäden,
einfädeln

fä|hig, die Fähigkeit

fahn|den, sie fahndete,
die Fahndung

die **Fah|ne,** die Fahnen

fah|ren, sie fährt,
sie fuhr, die Fahrt, der
Fahrer, die Fahrkarte,
die Fähre, das Fahrzeug
S. 227

das **Fahr|rad,** die Fahrräder
S. 211

fair, unfair

fal|len, du fällst, sie fiel,
auf jeden Fall S. 227

fäl|len, er fällte S. 227

fäl|lig S. 227

falsch, fälschen, der
Fälscher, die Fälschung

die **Fal|te,** die Falten, falten

der **Fal|ter,** die Falter

die **Fa|mi|lie,** die Familien

A B C D E F G H I J K L M N O P Q R S T U V W X Y Z

fan|gen, sie fängt, sie
fing S. 229, der Fang, der
Fänger, der Gefangene
die **Fan|ta|sie/Phan|ta|sie,**
fantastisch
die **Far|be,** die Farben,
färben, Farbige
der **Farn,** die Farne
der **Fa|sching*** (Fastnacht)
fa|seln, er faselte
die **Fa|ser,** die Fasern
die **Fas|net*** (Fastnacht)
das **Fass,** die Fässer
fas|sen, sie fasste
fast (beinahe)
fas|ten, er fastete
die **Fast|nacht**
fau|chen/pfau|chen,
sie fauchte/pfauchte
faul, verfaulen
faul, faulenzen,
die Faulheit, der Faulpelz
die **Faust,** die Fäuste
der **Fe|bru|ar**
Die Römer nannten diesen
Monat Februarius.
die **Fe|der,** die Federn
Unsere Vorfahren benutzten
Vogelfedern zum Schreiben.
Der Name „Feder" blieb, als
man später mit Metallfedern
schrieb.
fe|gen, sie fegte
feh|len, sie fehlte
der **Feh|ler,** die Fehler,
fehlerfrei

fei|ern, er feierte,
die Feier, der Feiertag,
feierlich ➤ Ferien
fei|ge, der Feigling,
die Feigheit
die **Fei|ge,** die Feigen
die **Fei|le,** die Feilen
fein
der **Feind,** die Feinde,
die Feindschaft,
feindlich, feindselig
der **Fei|tel*** (Taschenmesser)
das **Feld,** die Felder S. 219
die **Fel|ge,** die Felgen,
die Felgenbremse
das **Fell,** die Felle
der **Fels** oder: der Felsen,
die Felsen, felsig
das **Fens|ter,** die Fenster
➤ Mauer ➤ Scheibe
Als unsere Vorfahren von den
Römern Steinhäuser mit Fens-
tern kennen lernten, übernah-
men sie auch den römischen
Namen „fenestra".
die **Fe|ri|en**
„Feriae" (lateinisch) hieß: Fest-
tage, Feiertage, Ruhetage.
das **Fer|kel,** die Ferkel
fern, die Ferne
der **Fer|ner*** (Gletscher)
fern|se|hen, das Fern-
sehen, der Fernseher
die **Fer|se,** die Fersen S. 230
fer|tig, fertig bekom-
men, fertig stellen

die **Fes|sel,** die Fesseln,
    fesseln
fest, feststellen
das **Fest,** die Feste, festlich
das **Fett,** die Fette, etwas ist
    fett, fettig
der **Fet|zen,** die Fetzen
    feucht, die Feuchtigkeit
der **Feu|del*** (Wischlappen)
das **Feu|er,** die Feuer, feurig,
    die Feuerwehr S. 215
die **Fi|bel,** die Fibeln
die **Fich|te,** die Fichten
das **Fie|ber,** fiebern, fiebrig,
    das Fieberthermometer
ich **fiel** (Grundform: fallen)
die **Fi|gur,** die Figuren
der **Film,** die Filme, filmen,
    der Filmstar → Star
der **Fil|ter,** die Filter, filtern
der **Filz,** die Filze, der Filz-
    schreiber
die **Fi|nan|zen,** das Finanz-
    amt, der Finanzminister
fin|den, sie fand,
    gefunden, der Finder,
    der Fund
der **Fin|ger,** die Finger
der **Fink,** die Finken

> Weil der Fink auch Körner aus
> dem Pferdekot pickt, galt er
> früher als schmutzig. Daher
> kommen unsere Schimpfwörter
> „Schmutzfink" und „Dreckfink".

Finn|land, der Finne,
    finnisch

fins|ter, die Finsternis
die **Fir|ma,** die Firmen
die **Fir|mung,** firmen,
    die Konfirmation

> „Firm" (lateinisch) hieß: fest,
> stark. Mit <u>Firm</u>ung und Kon-
> <u>firm</u>ation sollen Kinder fest im
> Glauben gemacht werden.

der **Fir|ner*** (Gletscher)
der **First,** die Firste
der **Fisch,** die Fische,
    fischen, der Fischer
fit, die Fitness
fix
flach, die Fläche,
    das Flachland
fla|ckern, es flackerte
die **Flag|ge,** die Flaggen
die **Flam|me,** die Flammen,
    flammen, entflammt
die **Flap|pe*,** die Fläppe*
    (Schmollmund)
die **Fla|sche,** die Flaschen
der **Flasch|ner*** (Klempner)
    S. 230
flat|tern, er flatterte
flech|ten, sie flicht,
    sie flocht, die Flechte
der **Fleck,** die Flecken,
    fleckig
die **Fle|der|maus,**
    die Fledermäuse

> Der Name bedeutet
> Flattermaus.

der **Fle|gel,** die Flegel
fle|hen, er fleht, er flehte

A
B
C
D
E
F
G
H
I
J
K
L
M
N
O
P
Q
R
S
T
U
V
W
X
Y
Z

das **Fleisch,** fleischig, der
Fleischer S. 230
der **Fleiß,** fleißig
flen|nen* (weinen)
fli|cken, er flickte,
der Flicken
der **Flie|der**
die **Flie|ge,** die Fliegen
flie|gen, er fliegt, er
flog, die Fliege
flie|hen, sie flieht,
sie floh, die Flucht
die **Flie|se,** die Fliesen
flie|ßen, es fließt, es
floss, geflossen, flüssig,
der Fluss, das → Floß
flink
die **Flin|te,** die Flinten
flit|zen, er flitzt, er flitzte
die **Flo|cke,** die Flocken,
flockig
der **Floh,** die Flöhe,
der Flohmarkt
das **Floß,** die Flöße
Er flößt das Holz auf dem Fluss.
die **Flos|se,** die Flossen
die **Flö|te,** die Flöten, flöten
flott
flu|chen, er fluchte,
der Fluch
die **Flucht,** fliehen,
der Flüchtling
flüch|tig, der Flüchtig-
keitsfehler

der **Flug,** die Flüge,
das Flugzeug
der **Flü|gel,** die Flügel
„Flügel" bedeutete früher
nur das Paar Vogelflügel.
Später gebrauchte man den
Namen auch für andere Paare
von Sachen: Nasenflügel,
Lungenflügel, Türflügel,
Gebäudeflügel.

flüg|ge

Ein Jungvogel ist flügge,
wenn er genug Federn für
den Flug hat.

flun|kern* (angeben,
übertreiben)
der **Flunsch*** (Schmollmund)
der **Flur** (Hausflur), die Flure
die **Flur** (Feldflur), die Fluren
der **Fluss,** die Flüsse → Floß
flüs|tern, er flüsterte
S. 223
die **Flut**
der **Föhn,** die Föhne
(1. Haartrockner,
2. warmer Wind von
den Bergen)
fol|gen, sie folgte
for|dern, er forderte,
die Forderung
för|dern, sie förderte,
be|för|dern, der Förder-
unterricht

Vor rund tausend Jahren hieß
„furdiren": weiter nach vorn
bringen.

die **Fo|rel|le,** die Forellen

die **Form,** die Formen,
   formen
das **For|mu|lar,** die Formulare
   for|schen, er forschte,
   der Forscher
der **Forst,** die Forsten,
   der Förster, aufforsten
   fort
der **Fort|schritt,**
   die Fortschritte
   fort|set|zen, er setzte
   fort, die Fortsetzung
   fo|to|gra|fie|ren, sie fo-
   tografierte, der Fotograf,
   das Foto, die Fotokopie
die **Fracht,** die Frachten,
   das Frachtschiff, der
   Frachter, verfrachten
   fra|gen, er fragte S. 223,
   die Frage
   Frank|reich,
   der Franzose, französisch
die **Frat|ze,** die Fratzen
die **Frau,** die Frauen
   Veraltet: das Fräulein.
   frech, die Frechheit
   frei, die Freiheit,
   befreien, im Freien
   frei|lich
der **Frei|tag,** die Freitage,
   freitags, am Freitag
   Die Germanen nannten den
   sechsten Wochentag nach
   ihrer Göttin Freia. Sie war die
   Frau des Donnergottes Donar.
   ➔ Donnerstag

frei|wil|lig
die **Frei|zeit**
   fremd, der Fremde,
   die Fremde ➔ Elend
   fres|sen, du frisst,
   sie fraß S. 224, der Fraß
sich **freu|en,** sie freute sich,
   die Freude, freudig
der **Freund,** die Freunde,
   die Freundin,
   die Freundschaft
   freund|lich,
   die Freundlichkeit
der **Frie|den** oder:
   der Friede, friedlich
der **Fried|hof,** die Friedhöfe
   frie|ren, sie fror
   frisch, die Frische
   fri|sie|ren, er frisierte,
   die Frisur, der Frisör
   oder: der Friseur
sie **frisst** (von: fressen)
die **Frist,** die Fristen, fristlos
   froh
   fröh|lich, die Fröhlichkeit
   fromm, die Frömmigkeit
   Fron|leich|nam
die **Front,** die Fronten
der **Frosch,** die Frösche,
   der Froschlaich
der **Frost,** die Fröste,
   frösteln, frostig
   frot|zeln* (hänseln,
   necken)

A
B
C
D
E
F
G
H
I
J
K
L
M
N
O
P
Q
R
S
T
U
V
W
X
Y
Z

die **Frucht,** die Früchte
früh, früher, frühestens
der **Früh|ling,** das Frühjahr
das **Früh|stück,** frühstücken
S. 224
Ursprüngliche Bedeutung:
das in der <u>Frühe</u> gegessene
<u>Stück</u> Brot.
der **Fuchs,** die Füchse
füh|len, er fühlte,
der Fühler, das Gefühl
die **Fuh|re,** die Fuhren S. 227
füh|ren, er führte,
der Führer, die Führung,
der Führerschein
fül|len, sie füllte,
die Füllung, der Füller
fünf, fünfzehn, fünfzig,
fünfmal, ein Fünftel
der **Funk,** funken, der Funker
der **Fun|ke,** die Funken
funk|ti|o|nie|ren,
es funktionierte
für
die **Fur|che,** die Furchen
fürch|ten, sie fürchtete
sich, die Furcht, furcht-
bar, fürchterlich
die **Furt,** die Furten
der **Fuß,** die Füße, zu Fuß,
der Fußball, der Fuß-
gänger S. 211 ➜ bar
das **Fut|ter,** futtern
das **Fut|ter** (im Kleid),
füt|tern, sie fütterte

G g

die **Ga|be,** die Gaben,
geben ➜ begabt
die **Ga|bel,** die Gabeln
ga|ckern, sie gackerte
gaf|fen, er gaffte S. 222
gäh|nen, sie gähnte
die **Gal|le**
der **Ga|lopp,** galoppieren
der **Gang,** die Gänge,
die Gangschaltung
die **Gans,** die Gänse,
der Gänsemarsch
<u>Marsch</u> wie die <u>Gänse</u>: in
einer Reihe hintereinander.
ganz, gänzlich
gar, gar nicht, gar kein
gar (gar gekocht)
die **Ga|ra|ge,** die Garagen
die **Ga|ran|tie,** die Garan-
tien, garantieren
die **Gar|be,** die Garben
die **Gar|de|ro|be,**
die Garderoben
die **Gar|di|ne,** die Gardinen
gä|ren, es gärte, gegoren
das **Garn,** die Garne
die **Gar|ni|tur,** die Garnituren
der **Gar|ten,** die Gärten,
der Gärtner,
die Gärtnerei
das **Gas,** die Gase
die **Gas|se,** die Gassen

der **Gast,** die Gäste, gast-
lich, das Gasthaus, die
Gaststätte, der Gastwirt
das **Gatt*** (enger Durchgang)
der **Gat|te** (bei Frauen: die
Gattin), die Gatten
das **Gat|ter,** die Gatter
die/das **Gau|di*** (Vergnügen)
der **Gaul,** die Gäule S. 230
➔ Pferd
der **Gau|men,** die Gaumen
der **Gau|ner,** die Gauner
die **Gaut|sche*** (Schaukel)
das **Ge|bäck** ➔ backen
ge|bä|ren, sie gebärt,
sie gebar, geboren
das **Ge|bäu|de,** die Gebäude
ge|ben, sie gibt, sie gab,
gib! S. 225, die Gabe
das **Ge|bet,** die Gebete
ge|bie|ten, er gebietet,
er gebot, der Gebieter
Früher sagte man: Die
Gegend, in der ein Fürst
gebietet, ist sein Gebiet.
ge|bil|det, der Gebildete
das **Ge|bir|ge,** die Gebirge,
gebirgig
das **Ge|biss,** die Gebisse
ge|bo|ren
das **Ge|bot,** die Gebote
➔ gebieten
ge|brau|chen,
der Gebrauch,
die Gebrauchsanweisung

das **Ge|bre|chen,** die Gebre-
chen, gebrechlich S. 226
die **Ge|bühr,** die Gebühren
die **Ge|burt,** die Geburten,
der Geburtstag,
der Geburtsort
das **Ge|büsch,** die Gebüsche
(viele Büsche) ➔ Gepäck
das **Ge|dächt|nis**
der **Ge|dan|ke,** die Gedanken
ge|dei|hen, es gedieh
das **Ge|dicht,** die Gedichte
die **Ge|duld,** geduldig
ge|eig|net
die **Ge|fahr,** die Gefahren,
gefährlich S. 227
das **Ge|fäl|le,** die Gefälle S. 227
Straßen, die hinabführen,
„fallen": Sie haben Gefälle.
ge|fal|len, es gefällt mir,
es gefiel mir, einen
Gefallen tun S. 227
das **Ge|fäng|nis,** die Gefäng-
nisse, der Gefangene
das **Ge|fäß,** die Gefäße
das **Ge|flü|gel** ➔ Flügel
das **Ge|fühl,** die Gefühle
ge|gen, gegenüber,
gegeneinander
die **Ge|gend,** die Gegenden
der **Ge|gen|satz,**
die Gegensätze
der **Ge|gen|stand,**
die Gegenstände
das **Ge|gen|teil**

A
B
C
D
E
F
G
H
I
J
K
L
M
N
O
P
Q
R
S
T
U
V
W
X
Y
Z

die **Ge|gen|wart**

der **Geg|ner,** die Gegner

das **Ge|halt,** die Gehälter
(verdientes Geld)

der **Ge|halt** (Inhalt, Wert)

ge|häs|sig, der Hass

ge|heim, das Geheimnis,
geheimnisvoll

ge|hen, er geht, er ging,
gegangen S. 222, der Gang

ge|heu|er

der **Ge|hil|fe,** die Gehilfen

das **Ge|hirn,** die Gehirne

das **Ge|hör**

ge|hor|chen, er gehorch-
te, der Gehorsam, ge-
horsam sein ➜ horchen

ge|hö|ren, es gehörte ihr

die **Gei|ge,** die Geigen

die **Geiß*** (Ziege) S. 231

der **Geist,** die Geister,
geistig, der Heilige Geist

gei|zig, der Geiz,
der Geizhals

das **Ge|län|de** ➜ Land

das **Ge|län|der,** die Geländer

gelb

das **Geld,** die Gelder

das/der **Ge|lee,** die Gelees

die **Ge|le|gen|heit,**
die Gelegenheiten

ge|lehrt, der Gelehrte,
gelehrig

das **Ge|lei|se** (auch: das

Gleis), die Geleise
Früher meinte man mit
„waganleisa" die Wagenspur.

das **Ge|lenk,** die Gelenke,
gelenkig

ge|lin|gen, es gelang,
gelungen

gel|lend laut

gel|ten, es gilt, es galt,
gegolten

ge|mäch|lich

das **Ge|mäl|de,** die Gemälde

ge|mäß

ge|mein, die Gemein-
schaft, gemeinsam,
die Gemeinheit

die **Ge|mein|de,**
die Gemeinden

das **Ge|mü|se**
Früher nannte man den Brei
aus gekochten Pflanzen „Mus".
Alle Musarten zusammen
hießen Gemüse. ➜ Gepäck

das **Ge|müt,** die Gemüter

ge|müt|lich,
die Gemütlichkeit

ge|nau, die Genauigkeit,
genauso

ge|neh|mi|gen, er geneh-
migte, die Genehmigung

der **Ge|ne|ral,** die Generäle

die **Ge|ne|ra|ti|on,**
die Generationen

das **Ge|nick**

ge|nie|ßen, er genoss,
genossen, der Genuss

der **Ge|ni|tiv**

der **Ge|nos|se,** die Genossen,
die Genossenschaft

ge|nug, genügen, es
genügt, es ist genügend

die **Ge|o|gra|fie/
Ge|o|gra|phie**

das **Ge|päck**

Ein „Pack" und ein „Packen"
sind alte Wörter für „Bündel".
Viele Packen zusammen sind
Gepäck. ➔ Gemüse ➔ Gebüsch

ge|ra|de, geradeaus,
geradezu ➔ recht

das **Ge|rät,** die Geräte S. 209
➔ Vorrat

ge|ra|ten, es gerät,
es geriet

ge|räu|mig

das **Ge|räusch,** die Geräusche

ge|recht, die Gerechtig-
keit ➔ recht ➔ Recht

das **Ge|richt,** die Gerichte,
der Richter ➔ recht
➔ Recht

das **Ge|richt** (Speise),
die Gerichte

ge|ring

ge|rin|nen, es gerann,
geronnen

das **Ge|rip|pe,** die Gerippe

ge|ris|sen

der **Ger|ma|ne,**
die Germanen,
Germanien, germanisch

gern

die **Gers|te**

der **Ge|ruch,** die Gerüche

das **Ge|rücht,** die Gerüchte

das **Ge|rüm|pel**

das **Ge|rüst,** die Gerüste

ge|samt, insgesamt

der **Ge|sang,** die Gesänge

das **Ge|schäft,** die Geschäfte

ge|sche|hen,
es geschieht, es geschah

ge|scheit

das **Ge|schenk,**
die Geschenke

die **Ge|schich|te,**
die Geschichten

das **Ge|schirr**

das **Ge|schlecht,**
die Geschlechter

der **Ge|schmack,** schmack-
haft, schmecken

das **Ge|schöpf,**
die Geschöpfe

das **Ge|schoss,**
die Geschosse

das **Ge|schrei**

das **Ge|schütz,**
die Geschütze

ge|schwind,
die Geschwindigkeit

die **Ge|schwis|ter**

das **Ge|schwür,**
die Geschwüre

der **Ge|sel|le,** die Gesellen

A
B
C
D
E
F
G
H
I
J
K
L
M
N
O
P
Q
R
S
T
U
V
W
X
Y
Z

die **Ge|sell|schaft**, die
Gesellschaften, gesellig

das **Ge|setz**, die Gesetze
S. 228, gesetzlich

In Ge<u>setz</u>en ist festge<u>setz</u>t,
nach welchen Regeln wir
zusammenleben. Beispiel:
Schulpflichtge<u>setz</u>.

das **Ge|sicht**, die Gesichter
➜ sehen

das **Ge|spenst**,
die Gespenster

das **Ge|spräch**, die Ge-
spräche S. 228, gesprächig

die **Ge|stalt**, die Gestalten

das **Ge|ständ|nis**,
die Geständnisse
ge|stat|ten, er gestattete
ge|ste|hen, er gestand,
das Geständnis

das **Ge|stein**, die Gesteine

das **Ge|stell**, die Gestelle
ges|tern

das **Ge|strüpp**
ge|sund, die Gesundheit

das **Ge|tränk**, die Getränke

das **Ge|trei|de**

das **Ge|wächs**, die Gewächse
gewähren, er gewährte

die **Ge|walt**, die Gewalten,
gewaltig

das **Ge|wand**, die Gewänder
ge|wandt sein

das **Ge|wäs|ser**,
die Gewässer

das **Ge|wehr**, die Gewehre

das **Ge|weih**, die Geweihe

das **Ge|wer|be**, die Gewerbe

die **Ge|werk|schaft**,
die Gewerkschaften
ge|we|sen (Grundform:
sein)

das **Ge|wicht**, die Gewichte

das **Ge|win|de**, die Gewinde
➜ winden
ge|win|nen, er gewann,
gewonnen, der Gewinn,
der Gewinner
ge|wiss, die Gewissheit

das **Ge|wis|sen**,
die Gewissen

Mit unserem Ge<u>wissen</u>
„<u>wissen</u>" wir, wenn wir
etwas Unrechtes tun.

das **Ge|wit|ter**, die Gewitter
ge|witzt
ge|wöh|nen, er gewöhn-
te, die Gewohnheit,
die Gewöhnung,
gewöhnlich

das **Ge|wöl|be**, die Gewölbe,
gewölbt

das **Ge|würz**, die Gewürze

die **Ge|zei|ten** (Ebbe und
Flut)

der **Gie|bel**, die Giebel

die **Gier**, gierig
gie|ßen, er gießt, er
goss, gegossen, der Gu<u>ss</u>

das **Gift**, die Gifte, giftig

der **Gip|fel,** die Gipfel
der **Gips,** gipsen
die **Gi|raf|fe,** die Giraffen
die **Gi|tar|re,** die Gitarren
das **Git|ter,** die Gitter,
    vergittern
  glän|zen, es glänzte,
    der Glanz
das **Glas,** die Gläser, gläsern
  glatt, die Glätte
die **Glat|ze,** die Glatzen
  glau|ben, er glaubte,
    der Glaube, gläubig
  gleich, das Gleichge-
    wicht, der Gleichschritt,
    gleichgültig, gleich-
    mäßig, gleichzeitig
das **Gleis,** die Gleise
    ➔ Geleise
der **Glet|scher,** die Gletscher
das **Glied,** die Glieder,
    gliedern, die Gliederung
  glit|zern, es glitzerte
der **Glo|bus,** die Globusse
    oder: die Globen
    „Globus" (lateinisch) hieß:
    Kugel.
die **Glo|cke,** die Glocken
  glot|zen, er glotzte
das **Glück,** das Unglück,
    der Glückwunsch,
    glücklich
die **Glu|cke,** die Glucken
  glü|cken, es glückte
  glü|hen, es glühte

die **Gna|de,** gnädig
die **Gnit|te*** (kleine Mücke)
das **Gold,** golden, goldig
der **Gong,** die Gongs
  gön|nen, er gönnte
das **Gör*** (ungezogenes Kind)
der **Go|ril|la,** die Gorillas
die **Gos|se,** die Gossen
der **Gott,** die Götter, göttlich
das **Grab,** die Gräber,
    begraben, das Begräbnis
der **Gra|ben,** die Gräben,
    graben
der **Grad,** die Grade, 30 Grad
    (30 °), aber: ➔ Gra<u>t</u>
das **Gramm,** fünf Gramm (5 g)
die **Gram|ma|tik**
die **Gra|na|te,** die Granaten
der **Gra|nit**
  gran|tig* (mürrisch)
das **Gras,** die Gräser, grasen
  gräss|lich
der **Grat** (auf dem Berg-
    rücken), die Grate, das
    Rückgrat, aber: ➔ Gra<u>d</u>
die **Grä|te,** die Gräten
die **Grät|sche,** die Grätschen
  gra|tu|lie|ren, er gratu-
    lierte, die Gratulation
  grau
  grau|en, es graute,
    das Grauen, grauenhaft,
    grauenvoll, gräulich
  grau|sam,
    die Grausamkeit

A
B
C
D
E
F
G
H
I
J
K
L
M
N
O
P
Q
R
S
T
U
V
W
X
Y
Z

grei|fen, er griff,
der Griff
grei|nen* (weinen)
der Greis, die Greise

> „Grau" hieß früher „greis".
> Man sagte: greises Haar.
> Später nannte man so auch die
> Menschen, die das graue Haar
> trugen: Sie waren Greise, also
> Alte.

die Gren|ze, die Grenzen
Grie|chen|land,
der Grieche, griechisch
der Grieß
der Griff, die Griffe
der Grill, die Grills, grillen
die Gril|le, die Grillen
die Gri|mas|se,
die Grimassen
grimmig
grin|sen, er grinste S. 224
die Grip|pe
grob
grö|len, er grölte
grol|len, er grollte,
der Groll
groß, die Größe
Groß|bri|tan|nien,
der Brite, britisch
die Gru|be, die Gruben
grü|beln, sie grübelte

> Wer in seinen Gedanken sozu-
> sagen herumgräbt, der grübelt.

grün, grünen, das Grün

der Grund, die Gründe,
begründen, gründlich,
das Grundstück

> Grund nennt man den Boden.
> Wenn einer Land hat, sagen
> wir: Er hat Grund und Boden.
> Ein Stück Grund ist ein Grund-
> stück. – Wer einer Sache auf
> den Grund geht, untersucht sie
> gründlich.

grun|zen, er grunzte
die Grup|pe, die Gruppen
grü|ßen, er grüßte,
der Gruß
gu|cken, sie guckte S. 222
das/der Gu|lasch

> „Gulyas" (ungarisch) heißt:
> Rinderherde.

die Gül|le* (Jauche)
die Gült*, die Gülte (Abgabe)
gül|tig, die Gültigkeit
das/der Gum|mi, die Gummis
der Gum|mi|twist
der Gupf* (Gipfel)
die Gur|gel, gurgeln
die Gur|ke, die Gurken
der Gür|tel, die Gürtel
der Guss, die Güsse
gut
das Gut, die Güter
die Gü|te, gütig
das Gym|na|si|um,
die Gymnasien
die Gym|nas|tik

H h

das **Haar**, die Haare,
das Härchen, haarscharf,
der Hund haart
die **Ha|be**, Hab und Gut
ha|ben, er hat, er hatte
der **Ha|bicht**, die Habichte
die **Ha|cke** oder: der Hacken
(Ferse), die Hacken S. 230
der **Ha|fen**, die Häfen
der **Ha|fer**
die **Haft**, haften, verhaften,
der Häftling
der **Ha|gel**, hageln
ha|ger
der **Hahn**, die Hähne
hä|keln, sie häkelte
der **Ha|ken**, die Haken
halb, halbe, halbieren,
die Halbinsel, die Halb-
zeit
die **Hal|de**, die Halden
die **Hälf|te**, die Hälften
die **Hal|le**, die Hallen
die **Hal|lig**, die Halligen
der **Halm**, die Halme
der **Hals**, die Hälse
hal|ten, er hält, er hielt,
die Haltestelle,
das Halteverbot,
die Haltung, haltbar,
Halt machen

Ham|burg,
der Hamburger,
hamburgisch
der **Ham|mel**, die Hammel
oder: die Hämmel
der **Ham|mer**, die Hämmer,
hämmern
ham|peln, er hampelte
der **Hams|ter**, die Hamster,
hamstern
die **Hand**, die Hände, die
Handschrift, der Hand-
schuh, das Handtuch,
das Handwerk
Aus „Werk der Hand" wurde
Handwerk und Handwerker.
han|deln, er handelte,
der Handel, der Händler,
die Handlung
➜ behandeln
Wer mit der Hand etwas tat,
handelte. Heute gebraucht
man diese Wörter nicht mehr
für die Tätigkeit der Hände.
das **Han|dy**, die Handys
hän|gen, es hängt, das
Kleid hing im Schrank,
es hat lange gehangen
hän|gen, sie hängt,
sie hängte das Kleid auf,
sie hat es aufgehängt
hän|seln, sie hänselte
han|tig* (bitter, heftig)
die **Har|ke**, die Harken S. 230,
harken
harm|los

hart, die Härte
der Harz (Gebirge)
das Harz (am Baum)
der Ha|se, die Hasen
die Ha|sel|nuss,
   die Haselnüsse
der Hass, hassen
   häss|lich
du hasst (Grundform:
   hassen)
du hast (Grundform: haben)
die Hast, hasten, hastig
er hat
sie hat|te
die Hau|be, die Hauben
   hau|chen, er hauchte,
   der Hauch
   hau|en, er haute
der Hau|fen, die Haufen
   häu|fig
das Haupt, die Häupter,
   hauptsächlich
   Das Haupt – der Kopf – gilt
   als der wichtigste Teil des
   Menschen. – Die wichtigste
   Sache ist die Hauptsache. –
   Der Anführer heißt Häuptling.
   – Die wichtigste Stadt ist die
   Hauptstadt.
das Haus, die Häuser,
   die Hausarbeit, die
   Hausfrau, der Hausmann
   Man sagt: Hexen hausen in
   ihrer Behausung. – Die Ap-
   felkerne sitzen im Gehäuse.
der Haus|rat ➔ Vorrat
die Haut, die Häute

die Heb|am|me,
   die Hebammen
der He|bel, die Hebel
   he|ben, sie hob
die He|cke, die Hecken
das Heer, die Heere
die He|fe
das Heft, die Hefte, abheften
   Ein Heft besteht aus mit Fäden
   oder Klammern geheftetem
   Papier.
   hef|tig, die Heftigkeit
die Hei|de (unbebautes
   Land), die Heiden
der Hei|de (Nichtchrist),
   die Heiden
die Hei|del|bee|re,
   die Heidelbeeren S. 230
   heil, heilen, die Heilung
   hei|lig, der Heilige,
   der Heilige Abend
das Heim, die Heime, ich
   fahre heim, das Heimweh
die Hei|mat, heimatlich
   heimlich, die Heimlich-
   keit, verheimlichen
   hei|ra|ten, er heiratet,
   die Heirat
   hei|ser, die Heiserkeit
   heiß, die Hitze
   hei|ßen, er heißt,
   er hieß, geheißen
   hei|ter, die Heiterkeit
   hei|zen, er heizte,
   die Heizung, das Heizöl

der **Held,** die Helden
hel|fen, er hilft, er half,
geholfen, die Hilfe
hell, die Helligkeit
der **Helm,** die Helme
das **Hemd,** die Hemden
hem|men, er hemmte,
die Hemmung
das **Hendl*** (Brathuhn)
der **Hengst,** die Hengste
der **Hen|kel,** die Henkel
die **Hen|ne,** die Hennen
her, herab, heran,
herauf, heraus
die **Her|ber|ge,**
die Herbergen
der **Herbst,** herbstlich
der **Herd,** die Herde
die **Her|de,** die Herden
her|ein
der **He|ring,** die Heringe
der **Herr,** die Herren
herr|lich
herr|schen, er herrschte
her|stel|len, sie stellte
her, die Herstellung
her|über
her|um
her|un|ter
her|vor
das **Herz,** die Herzen,
herzlich
Da bei starker Erregung das
Herz stärker klopft, glaubte
man lange, im Herzen wohnten
die Gefühle. Darum sind wir

„von Herzen" froh oder uns tut
etwas „von Herzen" Leid. Wer
anderen sagt, wie es ihm „ums
Herz" ist, der ist offenherzig.
Freunde sind „ein Herz und
eine Seele". Wir können herz-
zerreißend und herzerweichend
weinen und wir können herz-
lich sein.

Hes|sen, der Hesse,
hessisch
het|zen, sie hetzte,
die Hetze
das **Heu,** die Heuschrecke
S. 230
heu|cheln, er heuchelte,
der Heuchler, heuchle-
risch
heu|er* (in diesem Jahr)
die **Heu|er** (Lohn für See-
leute)
heu|len, sie heulte S. 224
Das bedeutet: wie eine Eule
schreien.
heu|te, heute Morgen,
heute Abend
die **He|xe,** die Hexen, hexen
hier, hierauf, hierbei,
hierdurch, hierher,
hiermit, hierzu
hie|sig
die **Hil|fe,** die Hilfen,
der Helfer, der Gehilfe,
hilfsbereit, hilflos
die **Him|bee|re,**
die Himbeeren
der **Him|mel,** himmlisch

A
B
C
D
E
F
G
H
I
J
K
L
M
N
O
P
Q
R
S
T
U
V
W
X
Y
Z

hin

hin|ab, hin|auf

hin|aus

hin|dern, er hinderte, verhindern, das Hindernis

hin|durch

hin|ein

hin|ken, er hinkte

hin|net* (in diesem Jahr)

hin|set|zen

die **Hin|sicht**

hin|ten

hin|ter, hintereinander, hinterher, hinterlistig, der Hintergrund

der **Hin|tern,** die Hintern

hin|über

hin|zu

das **Hirn,** die Hirne

der **Hirsch,** die Hirsche

der **Hirt** oder: der Hirte, die Hirten

die **Hit|ze**

das **Hob|by,** die Hobbys

ho|beln, er hobelte, der Hobel

hoch, höher, am höchsten, höchstens

der **Hoch|mut,** hochmütig

die **Hoch|zeit,** die Hochzeiten

ho|cken, er hockte, der Hocker

der **Ho|den,** die Hoden

der **Hof,** die Höfe, der Bauernhof, das Gehöft, der Gasthof, der Kirchhof, der Bahnhof

Am König**shof** war feines Benehmen üblich: <u>Höf</u>lichkeit.

hof|fen, sie hoffte, die Hoffnung, hoffentlich

höf|lich, die Höflichkeit
➺ Hof

ho|he Bäume

die **Hö|he,** die Höhen

hohl, die Höhle

der **Hohn,** verhöhnen

ho|len, er holte

Hol|land, der Holländer, holländisch

die **Höl|le**

hol|pern, er holperte, holp(e)rig

das **Holz,** die Hölzer, hölzern

der **Ho|nig**

der **Hop|fen**

hop|sen, er hopste

hor|chen, sie horchte

Wenn Doris ihrem Vater ge<u>horch</u>t, <u>horch</u>t oder <u>hört</u> sie auf ihn.

hö|ren, sie hörte, der Hörer ➺ horchen

der **Ho|ri|zont**

das **Horn,** die Hörner

die **Hor|nis|se,** die Hornissen

die **Ho|se,** die Hosen

das **Ho|tel,** die Hotels

die **Hot|te*** (Tragekorb)
hübsch
der **Hub|schrau|ber,**
die Hubschrauber
die **Hu|de*** (Viehweide)
der **Huf,** die Hufe
die **Hüf|te,** die Hüften
der **Hü|gel,** die Hügel,
hüg(e)lig
das **Huhn,** die Hühner
die **Hül|le,** die Hüllen
die **Hül|se,** die Hülsen

> Hülsenfrüchte stecken in einer
> Hülse: Erbsen, Bohnen, Linsen.

die **Hum|mel,** die Hummeln
der **Hu|mor**
hum|peln, sie humpelte
der **Hund,** die Hunde
hun|dert, hundertmal,
ein Hundertstel von …,
aber: ein hundertstel
Gramm
der **Hun|ger,** hungern,
hungrig
die **Hu|pe,** die Hupen,
hupen
hüp|fen, er hüpfte
hu|schen, sie huschte
S. 222
der **Hus|ten,** husten
der **Hut,** die Hüte
die **Hut,** hüten, behüten,
auf der Hut sein
die **Hut|sche*** (Schaukel)
die **Hüt|te,** die Hütten

I i

ich
i|de|al, das Ideal
die **I|dee,** die Ideen
der **I|di|ot,** die Idioten,
idiotisch
der **I|gel,** die Igel
ihm, gib ihm das Heft
ihn, ich sehe ihn
ih|nen, sage es ihnen
ihr
die **Il|lus|trier|te,**
die Illustrierten
im Haus (in dem Haus)
der **Im|ker,** die Imker
im|mer, immerhin
imp|fen, er impfte,
die Impfung
im|po|nie|ren,
sie imponierte, imposant
im|stan|de sein/
im Stan|de sein
in, ins (in das Haus)
in|dem
der **In|di|a|ner,** die Indianer

> Als Columbus vor rund 500
> Jahren mit seinem Schiff nach
> Amerika kam, dachte er, er sei
> in Indien. Darum nannte er die
> Menschen „Inder" (Indianer).

die **In|dus|trie,** die Industrien
in|ein|an|der
die **In|fek|ti|on,** die Infektio-
nen, der Infekt

der **In|fi|ni|tiv,** die Infinitive
S. 236
  in|for|mie|ren, sie infor-
  mierte, die Information
der **In|ge|ni|eur,**
  die Ingenieure
der **In|halt,** die Inhalte
  in|nen, innerhalb
  in|nig
das **In|sekt,** die Insekten
die **In|sel,** die Inseln
das **In|se|rat,** die Inserate,
  inserieren
  in|so|fern
der **In|spek|tor,**
  die Inspektoren,
  die Inspektion
der **In|stal|la|teur,**
  die Installateure,
  die Installation
das **In|sti|tut,** die Institute
das **In|stru|ment,**
  die Instrumente
  in|tel|li|gent,
  die Intelligenz
  in|te|res|sie|ren,
  sie interessierte sich,
  interessant, das Interesse
  in|ter|na|ti|o|nal
das **In|ter|net**
das **In|ter|view,** die Inter-
  views, interviewen
der **In|va|li|de,** die Invaliden
  in|zwi|schen

ir|gend, irgendein,
irgendetwas, irgend-
jemand, irgendwann,
irgendwie, irgendwo
Ir|land, der Ire, irisch
die **I|ro|nie,** ironisch
ir|ren, er irrte,
der Irrtum, irrtümlich
du **isst** (Grundform: essen)
er **ist** (Grundform: sein)
I|ta|li|en, der Italiener,
italienisch

J j

ja, Ja/ja sagen

die **Jacht** (auch: die Yacht), die Jachten

die **Ja|cke,** die Jacken

ja|gen, er jagt, er jagte, der Jäger, die Jagd

der **Ja|gu|ar,** die Jaguare

jäh, der Jähzorn

das **Jahr,** die Jahre, jährlich, der Jahrgang, das ein- jährige Kind

der **Jahr|markt,** die Jahr- märkte

der **Jam|mer,** jammern S. 223, 224, jämmerlich

der **Ja|nu|ar**

Die Römer nannten den Monat, mit dem sie in das Jahr sozusagen eintraten, nach dem Gott der Türen und Tore: Januarius.

Ja|pan, der Japaner, japanisch

jap|sen, er japste

jä|ten, er jätete

die **Jau|che**

jauch|zen, sie jauchzte

jau|len, er jaulte

ja|wohl

der **Jazz,** jazzen

je

je|den|falls

je|der, jedermann

→ Mann, jedes Mal

je|doch

je|mals

je|mand

je|ner

jen|seits

der **Je|sus**

jetzt

je|weils

der **Job,** die Jobs, jobben

jo|deln, er jodelte

der/das **Jo|ghurt/Jo|gurt**

joh|len, er johlte

der **Jour|na|list,** die Journalisten

das **Ju|bi|lä|um,** die Jubiläen

ju|bi|lie|ren, sie jubilierte, jubeln S. 224, der Jubel

„Jubilare" (lateinisch) hieß: jauchzen.

ju|cken, er juckte

der **Ju|de,** die Juden, jüdisch

das **Ju|do**

die **Ju|gend,** der Jugend- liche, jugendlich, die Jugendweihe

der **Ju|li**

Die Römer nannten den Juli nach Kaiser Julius Caesar.

jung, der Jüngling

der **Jun|ge,** die Jungen S. 230

der **Ju|ni**

Die Römer nannten den Juni nach der Göttin Juno.

der **Ju|rist,** die Juristen

das **Ju|wel,** die Juwelen

K k

sich **kab|beln*** (zanken)

das **Ka|bel,** die Kabel

die **Ka|bi|ne,** die Kabinen

die **Ka|chel,** die Kacheln

der **Kä|fer,** die Käfer

der **Kaf|fee**

der **Kä|fig,** die Käfige

kahl

der **Kahn,** die Kähne

der **Kai,** die Kais

der **Kai|ser,** die Kaiser,
kaiserlich ➔ Juli

> Der römische Feldherr Julius Caesar eroberte einen Teil des germanischen Landes. Nach ihm nannten die Germanen einen Herrscher „kaisar".

der **Ka|kao**

der **Kak|tus,** die Kakteen

das **Kalb,** die Kälber

der **Ka|len|der,** die Kalender

der **Kalk,** kalken, kälken
kalt, die Kälte

ich **kam** (Grundform: kommen)

das **Ka|mel,** die Kamele

die **Ka|me|ra,** die Kameras

der **Ka|me|rad,**
die Kameraden,
die Kameradschaft,
kameradschaftlich

> „Camera" (italienisch) heißt: Zimmer. Eine „camerata" war

früher eine Zimmergemeinschaft.

der **Kamm,** die Kämme,
kämmen

die **Kam|mer,** die Kammern
➔ Kamerad

der **Kampf,** die Kämpfe,
kämpfen

der **Ka|nal,** die Kanäle,
die Kanalisation

der **Ka|na|ri|en|vo|gel,**
die Kanarienvögel

der/die **Kan|del*** (Wasserrinne)

der **Kan|di|dat,**
die Kandidaten

das **Ka|nin|chen,**
die Kaninchen

der **Ka|nis|ter,** die Kanister

die **Kan|ne,** die Kannen

der **Ka|non,** die Kanons

die **Ka|no|ne,** die Kanonen

die **Kan|te,** die Kanten,
kantig

die **Kan|ti|ne,** die Kantinen

das **Ka|nu,** die Kanus

die **Kan|zel,** die Kanzeln

der **Kanz|ler,** die Kanzler

die **Ka|pel|le,** die Kapellen
ka|pie|ren, er kapierte

der **Ka|pi|tän,** die Kapitäne

das **Ka|pi|tel,** die Kapitel

die **Kap|pe,** die Kappen

die **Kap|sel,** die Kapseln
ka|putt, kaputtmachen

die **Ka|pu|ze,** die Kapuzen
der **Kar|frei|tag,**
   die Karfreitage
   ka|riert
die **Ka|ri|es**
der **Kar|ne|val*** (Fastnacht)
das **Kar|ni|ckel,** die Karnickel
die **Ka|ros|se|rie,**
   die Karosserien
die **Ka|rot|te*** (Möhre) S. 230
der **Karp|fen,** die Karpfen
die **Kar|re,** die Karren
die **Kar|te,** die Karten
die **Kar|tof|fel,** die Kartoffeln
   „Tartufolo" (italienisch) hieß:
   Kartoffel.
der **Kar|ton,** die Kartons
das **Ka|rus|sell,** die Karussells
der **Kä|se**
die **Ka|ser|ne,** die Kasernen
der **Kas|per**
die **Kas|se,** die Kassen,
   kassieren
die **Kas|set|te** (auch: die
   C̲assette), die Kassetten,
   der Kassettenrekorder
die **Kas|ta|nie,** die Kastanien
der **Kas|ten,** die Kästen
der **Ka|ta|log,** die Kataloge
die **Ka|ta|stro|phe,** die Kata-
   strophen, katastrophal
der **Ka|ter,** die Kater
   katholisch, der Katholik
die **Kat|ze,** die Katzen
   kau|en, er kaute

kau|ern, sie kauerte
kau|fen, sie kaufte,
   der Kauf, der Käufer,
   der Kaufmann ➙ Mann
die **Kau|le*** (Grube)
die **Kaul|quap|pe,**
   die Kaulquappen
   kaum
der **Kauz,** die Käuze
der **Ke|gel,** die Kegel, kegeln
die **Keh|le,** die Kehlen
   keh|ren* (fegen)
   kehrt|ma|chen
   kei|fen, sie keifte
der **Keil,** die Keile
der **Keim,** die Keime,
   keimen, der Keimling
   kein, keinmal
   kei|nes|wegs
der **Keks,** die Kekse
der **Kelch,** die Kelche
die **Kel|le,** die Kellen
der **Kel|ler,** die Keller
der **Kell|ner,** die Kellner
   ken|nen, er kannte,
   die Kenntnis, bekannt
   ken|tern, sie kenterte
   ker|ben, er kerbte,
   die Kerbe
der **Kerl,** die Kerle
der **Kern,** die Kerne, kernig
die **Ker|ze,** die Kerzen
der **Kes|sel,** die Kessel
die **Ket|te,** die Ketten

A B C D E F G H I J K L M N O P Q R S T U V W X Y Z

keu|chen, sie keuchte,
der Keuchhusten
die **Keu|le,** die Keulen
ki|chern, er kicherte S. 224
kie|big* (frech, zänkisch)
der **Kie|bitz,** die Kiebitze
der **Kie|fer** (Gebissknochen),
die Kiefer
die **Kie|fer** (Nadelbaum),
die Kiefern
kie|ken* (sehen)
die **Kie|me,** die Kiemen
die **Kie|pe*** (Tragekorb)
der **Kies,** der Kiesel
das **Ki|lo|gramm,**
drei Kilogramm (3 kg),
kurz: das Kilo
Im alten Griechenland
bedeutete ein ähnliches Wort
wie „Kilo": tausend.
der **Ki|lo|me|ter,**
drei Kilometer (3 km)
das **Kind,** die Kinder,
kindlich, die Kindheit
das **Kinn**
das **Ki|no,** die Kinos
der **Ki|osk,** die Kioske
der **Kipf*,** das Kipferl*
(besonderes Gebäck)
kip|pen, es kippte,
die Kippe
die **Kir|che,** die Kirchen
Im alten Griechenland bedeu-
tete ein ähnliches Wort:
Gottes Haus.
die **Kirch|weih*,** die **Kirch-**

mes|se, die **Kir|mes***
(Fest mit Jahrmarkt)
die **Kir|sche,** die Kirschen
das **Kis|sen,** die Kissen
die **Kis|te,** die Kisten
der **Kitsch**
der **Kitt**
der **Kit|tel,** die Kittel
kit|zeln, er kitzelte
kla|gen, sie klagte,
die Klage, der Kläger,
kläglich
klamm
die **Klam|mer,** die Klam-
mern, klammern
der **Klang,** die Klänge
klap|pen, es klappte,
die Klappe
klap|pern, es klapperte,
die Klapper
der **Klaps,** die Klapse
klar, klären, erklären,
die Klarheit,
die Kläranlage
Der Polizist bringt Klarheit in
ein undurchsichtiges Ver-
brechen: Er klärt es auf. –
Wer anderen etwas klarmacht,
erklärt es.
die **Klas|se,** die Klassen
der **Klas|sen|lehrer** (auch:
der Klasslehrer),
die Klassenlehrerin,
das ist Klasse
klat|schen, er klatschte
klau|ben* (aufheben)

das **Kla|vier,** die Klaviere
  kle|ben, er klebte,
  der Kleber, der Klebstoff,
  klebrig
  kle|ckern, sie kleckerte
der **Klecks,** die Kleckse,
  klecksen
der **Klee**
das **Kleid,** die Kleider,
  kleiden, die Kleidung
  klein, die Kleinigkeit,
  kleinlich
der **Kleis|ter**
  klem|men, er klemmte,
  in der Klemme sein
der **Klemp|ner,**
  die Klempner S. 230
die **Klet|te,** die Kletten
  klet|tern, er kletterte
das **Kli|ma**
  klim|pern, er klimperte
die **Klin|ge,** die Klingen
die **Klin|gel,** die Klingeln,
  klingeln
  klin|gen, es klang,
  geklungen, der Klang
die **Kli|nik,** die Kliniken
die **Klin|ke,** die Klinken,
  klinken
die **Klip|pe,** die Klippen
  klir|ren, es klirrte
  klö|nen* (plaudern),
  der Klönschnack
  klop|fen, es klopfte

der **Klops,** die Klopse
das **Klo|sett,** die Klosetts
der **Kloß,** die Klöße
das **Klos|ter,** die Klöster
der **Klotz,** die Klötze
der **Klub** (auch: der <u>C</u>lub),
  die Klubs
  klug, die Klugheit
der **Klum|pen,** die Klumpen
  knab|bern, er knabberte
der **Kna|be,** die Knaben
das **Knä|cke|brot**
  kna|cken, es knackte,
  der Knacks
  knal|len, es knallte,
  der Knall
  knapp
  knar|ren, es knarrte
der **Knatsch*** (Streit)
  knat|tern, es knatterte
das **Knäu|el,** die Knäuel
  knau|sern, er knauserte,
  knaus(e)rig
der **Kne|bel,** die Knebel
der **Knecht,** die Knechte
  knei|fen, er kniff
  kne|ten, er knetete
  kni|cken, er knickte,
  der Knick
der **Knicks,** die Knickse,
  knicksen
das **Knie,** die Knie, knien
der **Knies*,** der **Kniest***
  (Zank)

A
B
C
D
E
F
G
H
I
J
K
L
M
N
O
P
Q
R
S
T
U
V
W
X
Y
Z

knip|sen, er knipste

der **Knirps,** die Knirpse S. 230

knir|schen, er knirschte

knis|tern, es knisterte

knit|tern, er knitterte

kno|beln, sie knobelte

der **Knob|lauch**

der **Kno|chen,** die Knochen,
der Knöchel, knochig

der **Knö|del*** (Kloß)

die **Knol|le,** die Knollen

der **Knopf,** die Knöpfe,
knöpfen

der **Knor|pel,** die Knorpel

die **Knos|pe,** die Knospen

der **Kno|ten,** die Knoten

knül|len, er knüllte

knüp|fen, er knüpfte

der **Knüp|pel,** die Knüppel

knur|ren, er knurrte

knus|prig, knuspern

ko|chen, sie kochte,
der Koch

der **Kof|fer,** die Koffer

der **Ko|gel*** (Bergkuppe)

der **Kohl** S. 231

die **Koh|le,** die Kohlen

die **Ko|kos|nuss,**
die Kokosnüsse

der **Kol|ben,** die Kolben

der **Kol|le|ge,** die Kollegen,
die Kollegin

die **Ko|lon|ne,** die Kolonnen

kom|bi|nie|ren,
sie kombinierte,
die Kombination

ko|misch, der Komiker

das **Kom|ma,** die Kommas
oder: die Kommata

kom|man|die|ren,
er kommandierte,
der Kommandant,
das Kommando

kom|men, er kommt,
er ka<u>m</u>

der **Kom|men|tar,**
die Kommentare,
kommentieren

der **Kom|mis|sar,**
die Kommissare

die **Kom|mo|de,**
die Kommoden

die **Kom|mu|ni|on**

der **Kom|mu|nis|mus,**
der Kommunist,
kommunistisch

der **Kom|pass,** die Kompasse

kom|plett

kom|pli|ziert

kom|po|nie|ren, er kom-
ponierte, der Komponist

der **Kom|post,**
die Komposte

das **Kom|pott,** die Kompotte

der **Kom|pro|miss,**
die Kompromisse

die **Kon|fe|renz,**
die Konferenzen

die **Kon|fir|ma|ti|on,**
der Konfirmand,
konfirmieren ➔ Firmung

der **Kö|nig,** die Könige,
die Königin, königlich
kön|nen, er kann,
er konnte, der Könner

die **Kon|ser|ve,**
die Konserven,
konservieren

der **Kon|so|nant,**
die Konsonanten
„Consonare" (lateinisch) hieß:
mitklingen. Konsonanten wie
b, d, f ... klingen nur mit ande-
ren Lauten zusammen. Diese
heißen ➔ Vokale (a, e, i, o, u).

der **Kon|takt,** die Kontakte

der **Kon|ti|nent,**
die Kontinente

das **Kon|to,** die Konten

die **Kon|trol|le,** die Kon-
trollen, kontrollieren
kon|zen|trie|ren,
er konzentrierte sich,
die Konzentration,
konzentriert

das **Kon|zert,** die Konzerte

der **Kopf,** die Köpfe

die **Ko|pie,** die Kopien

der **Korb,** die Körbe

die **Kor|del,** die Kordeln

der **Kor|ken,** die Korken

das **Korn,** die Körner

der **Kör|per,** die Körper S. 202

der **Kor|ri|dor,** die Korridore

kor|ri|gie|ren, er korri-
gierte, die Korrektur

die **Kost** (Nahrung), kosten,
köstlich
kos|ten, es kostete

die **Kos|ten,** kostbar

das **Kos|tüm,** die Kostüme,
kostümieren

das **Ko|te|lett,** die Koteletts
„Côtelette" (französisch) heißt:
Rippchen.

krab|beln, er krabbelte
kra|chen, es krachte,
der Krach
kräch|zen, sie krächzte

die **Kraft,** die Kräfte, kräftig,
das Kraftfahrzeug (Kfz)

der **Kra|gen,** die Kragen

die **Krä|he,** die Krähen
krä|hen, er krähte

die **Kral|le,** die Krallen,
krallen

der **Kram,** kramen

der **Krampf,** die Krämpfe,
krampfhaft, verkrampft

der **Kran,** die Kräne
krank, der Kranke,
die Krankheit,
das Krankenhaus
krän|ken, er kränkte
Eine <u>Kränk</u>ung kann <u>krank</u>
machen.

der **Kranz,** die Kränze

der **Kra|ter,** die Krater
krat|zen, sie kratzte

A
B
C
D
E
F
G
H
I
J
K
L
M
N
O
P
Q
R
S
T
U
V
W
X
Y
Z

krau|len, er kraulte
kraus, kräuseln
das **Kraut,** die Kräuter
> Kraut nennt man Pflanzen,
> die der Mensch gut brauchen
> kann. Pflanzen, die weniger
> brauchbar oder schädlich sind,
> nennt man auch Unkraut.

die **Kra|wat|te,**
   die Krawatten
der **Krebs,** die Krebse
der **Kre|dit,** die Kredite
die **Krei|de,** die Kreiden
der **Kreis,** die Kreise, kreisen
krei|schen, sie kreischte
der **Krei|sel,** die Kreisel
die **Krem** oder: Kreme (auch:
   die C̲reme), die Krems
das **Kreuz,** die Kreuze,
   kreuzen, die Kreuzung
krie|chen, er kroch
der **Krieg,** die Kriege
krie|gen, sie kriegte
der **Kri|mi,** die Krimis
kri|tisch, die Kritik,
   der Kritiker, kritisieren
krit|zeln, er kritzelte
das **Kro|ko|dil,** die Krokodile
der **Kro|kus,** die Krokusse
die **Kro|ne,** die Kronen
kross* (knusprig)
die **Krö|te,** die Kröten
die **Krü|cke,** die Krücken
der **Krug,** die Krüge
die **Kru|me,** die Krumen,
   der Krümel, krümeln

krumm, die Krümmung,
   sich krümmen
der **Krüp|pel,** die Krüppel
die **Krus|te,** die Krusten
die **Kü|che,** die Küchen
der **Ku|chen,** die Kuchen
ku|cken, er kuckte
der **Ku|ckuck,** die Kuckucke
die **Ku|gel,** die Kugeln,
   kug(e)lig, der Kugel-
   schreiber
die **Kuh,** die Kühe
kühl, kühlen, die Küh-
   lung, der Kühlschrank
kühn, die Kühnheit
das **Kü|ken,** die Küken
die **Ku|lis|se,** die Kulissen
die **Kul|tur,** die Kulturen
der **Küm|mel**
der **Kum|mer,** sich kümmern,
   bekümmert, kümmerlich
der **Kum|pel,** die Kumpel
der **Kun|de,** die Kunden,
   die Kundschaft
die **Kun|de,** die Sachkunde,
   die Erdkunde
kün|di|gen, er kündigte,
   die Kündigung
künf|tig
die **Kunst,** die Künste,
   künst|lich, der Künstler,
   der Kunststoff,
   das Kunstwerk,
   das Kunststück

kun|ter|bunt
das **Kup|fer**
die **Kup|pel,** die Kuppeln
die **Kupp|lung,**
die Kupplungen
die **Kur,** die Kuren
die **Kur|bel,** die Kurbeln,
kurbeln
der **Kür|bis,** die Kürbisse
der **Kurs,** die Kurse
die **Kur|ve,** die Kurven,
kurven, kurvig
kurz, kürzen, die Kürze,
die Kürzung, kürzlich,
der Kurzschluss, kurz-
sichtig, den Kürzeren
ziehen
die **Ku|si|ne** (auch:
die Cousine),
die Kusinen
küs|sen, sie küsste,
der Kuss
die **Küs|te,** die Küsten
die **Kut|sche,** die Kutschen,
kutschieren
der **Kut|ter,** die Kutter
Kw
Wörter mit Kw gibt es nicht.
Schlage unter Qu nach!

L l

das **La|bor** (eigentlich: Labo-
ratorium), die Labors
la|chen, sie lachte S. 224,
das Lachen, das Geläch-
ter, lächeln S. 224, lächer-
lich
der **Lachs,** die Lachse
der **Lack,** die Lacke, lackieren
la|den, du lädst (auch: du
ladest), er lud, die Ladung
der **La|den,** die Läden
die **La|ge,** die Lagen ➔ legen
das **La|ger,** die Lager, lagern
➔ legen
lahm, gelähmt,
die Lähmung
der **Laib** Brot, die Laibe,
aber: ➔ Leib
der **Laich,** laichen
der **Laie,** die Laien
das **La|ken,** die Laken
die **La|krit|ze**
das **La|met|ta**
das **Lamm,** die Lämmer
die **Lam|pe,** die Lampen
der **Lam|pi|on,** die Lampions
das **Land,** die Länder, das
Ausland, die Landung
Wer aus dem Wasser oder aus
der Luft aufs Land zurückkehrt,
landet. – Ein Stück Land ist Ge-
lände, ein größeres Stück Ge-
lände nennen wir Landschaft.

A
B
C
D
E
F
G
H
I
J
K
L
M
N
O
P
Q
R
S
T
U
V
W
X
Y
Z

lan|den, er landete,
die Landung ➜ Land

der **Land|wirt,** die Land-
wirte, die Landwirtschaft
➜ Land

lang, die Länge

die **Lan|ge|wei|le,**
langweilig

lang|sam

längst (vor langer Zeit)

der **Lap|pen,** die Lappen

die **Lär|che** (Nadelbaum),
die Lärchen; aber:
➜ Lerche

der **Lärm,** lärmen

die **Lar|ve,** die Larven

las|sen, er lässt, er ließ

läs|sig

das **Las|so,** die Lassos

die **Last,** die Lasten,
der Lastkraftwagen
(LKW oder Lkw),
der Laster, lästig

das **Las|ter,** die Laster

läs|tern, er lästerte

läs|tig, belästigen

das **La|tein,** lateinisch

die **La|ter|ne,** die Laternen

die **Lat|te,** die Latten

lau

das **Laub**

die **Lau|be,** die Lauben

lau|ern, sie lauerte,
auf der Lauer liegen

lau|fen, sie lief S. 222,
der Lauf, der Läufer

Auch Schiffe „laufen": Das
Schiff läuft vom Stapel, läuft in
den Hafen, läuft auf Grund.

die **Lau|ne,** die Launen

die **Laus,** die Läuse

lau|schen, er lauschte,
der Lauscher

die **Lau|sitz**

laut sein

der **Laut,** die Laute, lautlos,
der Lautsprecher

läu|ten, er läutete,
das laute Geläute

die **La|va**

die **La|wine,** die Lawinen

das **La|za|rett,** die Lazarette

das **Le|ben,** wir leben,
das Erlebnis, die Lebens-
mittel, lebendig, lebhaft

die **Le|ber**

der **Leb|ku|chen,**
die Lebkuchen

lech|zen, sie lechzte

leck* (undicht), das Leck

le|cken, er leckte

le|cker, der Leckerbissen

Was man mit Vergnügen leckt,
ist lecker.

das **Le|der,** ledern

le|dig

le|dig|lich

das **Lee*** (Seite, die dem
Wind abgekehrt ist)

leer, die Leere, leeren
le|gen, er legte

Wer im Ringkampf <u>unter</u>
einem anderen <u>liegt</u>, ist
<u>unterlegen</u>, also der Verlierer.
Der andere ist ihm <u>überlegen</u>.
Wer <u>niedergelegt</u> wird,
erleidet eine <u>Niederlage</u>.

der **Lehm,** lehmig
die **Leh|ne,** die Lehnen
sich **leh|nen,** sie lehnte sich
leh|ren, er lehrte,
der Lehrer, die Lehre
die **Leh|re|rin,**
die Lehrerinnen

Eine <u>Lehr</u>erin oder ein <u>Lehr</u>er
<u>lehr</u>t Schüler. Ein Handwerks-
meister <u>lehr</u>t seinen „<u>Lehr</u>ling".
Dessen Eltern mussten früher
<u>Lehr</u>geld für die <u>Lehr</u>e zahlen.

der **Leib** (Körper), die Leiber,
aber: ➜ L<u>ai</u>b
das **Leib|le*** (ärmellose
Weste)
die **Lei|che,** die Leichen,
der Leichnam
leicht, die Leichtigkeit
der **Leicht|sinn,** leichtsinnig
lei|den, er litt, das Leid,
es tut mir Leid
die **Lei|den|schaft,**
die Leidenschaften,
leidenschaftlich
lei|der
lei|hen, sie lieh,
die Leihbücherei
der **Leim,** leimen

die **Lei|ne,** die Leinen
das **Lei|nen,** das Leintuch

Aus den Fasern der Pflanze
<u>Lein</u>, die auch Flachs heißt,
wird Stoff gewebt: das <u>Leinen</u>.

lei|se
die **Leis|te,** die Leisten
leis|ten, sie leistete,
die Leistung
lei|ten, er leitete,
der Leiter, die Leitung
die **Lei|ter,** die Leitern
die **Lek|ti|on,** die Lektionen
die **Lek|tü|re,** die Lektüren
len|ken, sie lenkte,
der Lenker, die Lenkung
die **Ler|che** (Vogel), die
Lerchen; aber: ➜ L<u>ä</u>rche
ler|nen, er lernte
le|sen, sie liest, sie las,
der Leser, leserlich
im **letz|ten** Augenblick
leuch|ten, es leuchtete,
der Leuchter, der Leucht-
turm
leug|nen, er leugnete
die **Leu|te**
der **Leut|nant,** die Leutnants
das **Le|xi|kon,** die Lexika
die **Li|bel|le,** die Libellen
das **Licht,** die Lichter S. 217

Früher gab es auch das Wort
„<u>licht</u>" für „hell". Noch heute
sagen wir: am <u>licht</u>en Tag; es
brennt <u>licht</u>erloh; eine
<u>Licht</u>ung im dunklen Wald.

A B C D E F G H I J K L M N O P Q R S T U V W X Y Z

das **Lid** (Augendeckel),
die Lider; aber: → L**ie**d

die **Lie|be,** die Liebhaberei
lie|ben, sie liebte, lieb
lie|ber

das **Lied,** die Lieder; aber:
→ L**i**d
lie|der|lich
lie|fern, er lieferte S. 225,
die Lieferung
lie|gen, er lag, gelegen
→ legen

der **Lift,** die Lifte

die **Li|ga,** die Ligen
li|la

die **Li|lie,** die Lilien

die **Li|mo|na|de,**
die Limonaden

die **Lin|de,** die Linden
lin|dern, er linderte

das **Li|ne|al,** die Lineale

die **Li|nie,** die Linien
links, linkisch,
der Linkshänder → rechts
Die l<u>in</u>ke Hand ist bei vielen
Menschen die ungeschicktere.
Wer l<u>in</u>kisch ist, ist wie einer
„mit zwei l<u>in</u>ken Händen". –
Bei einem L<u>in</u>kshänder ist die
linke Hand die geschicktere.

das **Li|no|le|um**

die **Lin|se,** die Linsen

die **Lip|pe,** die Lippen
lis|peln, sie lispelte

die **List,** die Listen, listig

die **Lis|te,** die Listen

der/das **Li|ter,** drei Liter (3 l)

die **Li|te|ra|tur**

die **Lit|faß|säu|le**
Im Jahre 1855 stellte Ernst
Litfaß die erste Reklamesäule
in Berlin auf.
lo|ben, sie lobte, das Lob

das **Loch,** die Löcher, lochen,
löchern, löch(e)rig

die **Lo|cke,** die Locken,
lockig
lo|cken, sie lockte
lo|cker, lockern
lo|dern, es loderte

der **Löf|fel,** die Löffel, löffeln
S. 224

die **Lo|gik,** logisch

der **Lohn,** die Löhne, lohnen

das **Lo|kal,** die Lokale

die **Lo|ko|mo|ti|ve,**
die Lokomotiven

die **Lo|re,** die Loren
los

das **Los,** die Lose, losen
lö|schen, sie löschte
lo|se
lö|sen, er löste,
die Lösung
lö|ten, er lötete

der **Lot|se,** die Lotsen, lotsen

die **Lot|te|rie,** die Lotterien

das **Lot|to**

der **Lö|we,** die Löwen

der **Lö|wen|zahn**

die **Lü|cke,** die Lücken

die **Luft,** die Lüfte, luftig
   lüf|ten, er lüftete,
   die Lüftung
   lü|gen, er log, die Lüge,
   der Lügner
die **Lu|ke,** die Luken
der **Lüm|mel,** die Lümmel
der **Lump** (schlechter
   Mensch), die Lumpen
der **Lum|pen** (Lappen),
   die Lumpen
die **Lun|ge,** die Lungen
   lun|gern, er lungerte
die **Lu|pe,** die Lupen
   lup|fen* (heben)
der **Lurch,** die Lurche
die **Lust,** die Lüste
   lus|tig
   lut|schen, er lutschte,
   der Lutscher
   lütt* (klein)
das **Luv*** (Seite, die dem
   Wind zugewandt ist)
   Lu|xem|burg,
   der Luxemburger,
   luxemburgisch
der **Lu|xus**

M m

ma|chen, sie machte,
   die Abmachung
die **Macht,** die Mächte,
   mächtig
die **Ma|cke*** (Fehler)
das **Mäd|chen,** die Mädchen
die **Ma|de,** die Maden,
   madig
das **Mä|del*** (Mädchen) S. 230
die **Ma|don|na,**
   die Madonnen
ich **mag** (Grundform: mögen)
die **Magd,** die Mägde
der **Ma|gen,** die Mägen
   oder: die Magen
   ma|ger
der **Mag|net,** die Magnete,
   magnetisch
   In der griechischen Landschaft
   Magnesia wurden früher viele
   dieser Eisensteine gefunden.
   mä|hen, sie mähte,
   die Mähmaschine,
   der Mähdrescher
das **Mahl,** die Mahlzeit;
   aber: ➜ M<u>a</u>l
   mah|len, er ma<u>h</u>lte Me<u>h</u>l
   in der Mü<u>h</u>le; aber:
   ➜ malen
die **Mahl|zeit,**
   die Mahlzeiten
die **Mäh|ne,** die Mähnen

mah|nen, er mahnte,
die Mahnung, ermahnen

der **Mai,** das Maiglöckchen

Der Monat heißt vermutlich nach einem Gott Maius. Die Vorfahren der Römer glaubten, er lasse alle Pflanzen wachsen.

der **Mais**

die **Ma|jes|tät,** majestätisch

der **Ma|jor,** die Majore

der **Ma|kel**

die **Mak|ka|ro|ni**

der **Mak|ler,** die Makler

mal, komm mal!

das **Mal,** die Male, jedes
Mal → Denkmal, aber:
→ Ma<u>h</u>l

malen, der Maler malte
Gemälde; aber → ma<u>h</u>len

die **Ma|ma,** die Mamas

das **Mam|mut,**
die Mammuts

man, das sieht man;
aber: → der <u>Mann</u>

manch, mancher

manch|mal

die **Man|da|ri|ne,**
die Mandarinen

die **Man|del,** die Mandeln

die **Ma|ne|ge,** die Manegen

der **Man|gel** (Fehler),
die Mängel, mangelhaft

die **Man|gel** (Glättrolle für
Wäsche), die Mangeln

die **Ma|nie|ren**

der **Mann,** die Männer, die
Mannschaft, männlich,
aber: → <u>man</u>

Einst gab es dasselbe Wort für „Mann" und „Mensch". „Jeder<u>mann</u>" und „nie<u>mand</u>" sagen wir noch heute für Mann **und** Frau. Später wurde zwischen „Mann" und „Mensch" unterschieden. – Weil der Mann früher mehr öffentliche Tätigkeiten ausübte und für wichtiger galt als die Frau, gab es den Kauf<u>mann,</u> die <u>Mann</u>schaft …

der **Man|tel,** die Mäntel

die **Map|pe,** die Mappen

das **Mär|chen,** die Märchen

der **Mar|der,** die Marder

die **Mar|ga|ri|ne**

die **Mar|ge|ri|te,**
die Margeriten

die **Ma|ri|ne**

die **Mark** (Geld)

das **Mark** (in Knochen …)

die **Mark** (Grenzland),
der Markstein

die **Mar|ke,** die Marken,
markieren

der **Markt,** die Märkte

die **Mar|me|la|de,**
die Marmeladen

der **Marsch,** die Märsche,
marschieren S. 222

der **März**

Der Monat heißt nach dem römischen Kriegsgott Mars.

das **Mar|zi|pan**

die **Ma|sche,** die Maschen

die **Ma|schi|ne** S. 209,
die Maschinen

die **Ma|sern**

die **Mas|ke,** die Masken,
maskieren

das **Mas|kott|chen,**
die Maskottchen

das **Maß,** die Maße,
die Maßnahme,
der Maßstab, mäßig

die **Mas|se,** die Massen,
massig
mas|sie|ren,
sie massierte

die **Mas|sa|ge**

der **Mast,** die Masten der
Schiffe

die **Mast** (Mästung der
Tiere)

das **Ma|te|ri|al,**
die Materialien

die **Ma|the|ma|tik**

die **Ma|trat|ze,**
die Matratzen

der **Ma|tro|se,** die Matrosen
matt, ich bin matt

die **Mat|te,** die Matten

die **Mau|er,** die Mauern,
mauern, der Maurer
„Murus" (lateinisch) hieß:
Mauer. Als die Germanen von
den Römern Steinhäuser
kennen lernten, übernahmen
sie auch Fachausdrücke.
➔ Fenster

das **Maul,** die Mäuler

der **Maul|wurf,**
die Maulwürfe
Das Tier hieß früher „muwerfer":
„Mu" nannte man Haufen.

die **Maus,** die Mäuse

der **Me|cha|ni|ker,** die
Mechaniker, mechanisch
me|ckern, sie meckerte
Meck|len|burg-
Vor|pom|mern,
der Mecklenburger,
mecklenburgisch,
der Pommer, pommerisch
(auch: pommersch)

die **Me|dail|le,**
die Medaillen

das **Me|di|ka|ment,** die
Medikamente ➔ Medizin

die **Me|di|zin,** der Mediziner,
medizinisch
„Medicus" (lateinisch) hieß:
Arzt.

das **Meer,** die Meere

der **Meer|ret|tich,**
die Meerrettiche

das **Mehl** ➔ mahlen
mehr, mehrere,
mehrmals, die Mehrheit,
die Mehrzahl S. 237
mei|den, sie mied

die **Mei|le,** die Meilen
„Mille" (lateinisch) hieß:
tausend. Eine Strecke von
tausend Doppelschritten
nannten die Römer „milia".

A B C D E F G H I J K L M N O P Q R S T U V W X Y Z

mein, meinetwegen
mei|nen, sie meinte
S. 223, die Meinung
mei|net|we|gen
die **Mei|se,** die Meisen
der **Mei|βel,** die Meißel,
meißeln
meist, meistens,
am meisten
der **Meis|ter,** die Meister,
die Meisterschaft,
meistern, meisterhaft
mel|den, er meldete,
die Meldung
mel|ken, sie molk (auch:
melkte), die Molkerei
die **Me|lo|die,** die Melodien
die **Me|lo|ne,** die Melonen
die **Men|ge,** die Mengen
der **Mensch,** die Menschen,
die Menschheit,
menschlich
mer|ken, er merkte, das
Merkmal, merkwürdig
die **Mes|se,** die Messen
(1. katholische Feier,
2. Verkaufsausstellung,
3. Jahrmarkt)
mes|sen, er misst,
er maβ, gemessen, miss!
das **Mes|ser,** die Messer
das **Mes|sing**
das **Me|tall,** die Metalle,
metallisch

der **Me|te|or,** die Meteore
die **Me|te|o|ro|lo|gie,**
der Meteorologe
der/das **Me|ter,** drei Meter
(3 m), meterhoch
die **Me|tho|de,**
die Methoden
die **Met|te,** die Metten
die **Mett|wurst,**
die Mettwürste
metz|gen* (schlachten)
der **Metz|ger*** (Fleischer),
die Metzger S. 230
meu|tern, er meuterte,
die Meuterei
mich, ich freue mich
die **Mi|cky|maus**
der **Mief**
die **Mie|ne** (Gesichtsaus-
druck), die Mienen;
aber: ➙ M**i**ne
die **Mie|te,** die Mieten,
mieten, der Mieter
das **Mi|kro|fon**
das **Mi|kro|skop,**
die Mikroskope
die **Milch,** milchig
mild, die Milde, mildern
das **Mil|ieu** (sprich: Milljöh)
das **Mi|li|tär**
die **Mil|li|ar|de,** drei Milliar-
den (3 Md. oder 3 Mrd.)
das **Mil|li|gramm** (mg)
➙ Meile

der/das **Mil|li|me|ter,**
drei Millimeter (3 mm)
➽ Meile
die **Mil|li|on,** drei Millionen
(3 Mill. oder 3 Mio.),
der Millionär ➽ Meile
min|der, die Minderheit
min|des|tens
die **Mi|ne,** die Minen
(1. Bleistiftmine,
2. Bergwerk,
3. Sprengkörper);
aber: ➽ M<u>ie</u>ne
der **Mi|nis|ter,** die Minister
mi|nus
die **Mi|nu|te,** die Minuten
mir gefällt das
mi|schen, sie mischte,
die Mischung
miss...
Die Vorsilbe <u>miss</u>- drückt
immer das Verkehrte, Falsche
und Verschiedene aus.
die **Miss|ach|tung** ➽ miss...
der **Miss|er|folg,**
die Misserfolge ➽ miss...
die **Miss|ge|burt,** die Miss-
geburten ➽ miss...
miss|han|deln, die Miss-
handlung ➽ miss...
er **misst** (Grundform:
messen), aber: der ➽
Mi<u>s</u>t
miss|trau|en, das
Misstrauen ➽ miss...

miss|ver|ste|hen, das
Missverständnis ➽ miss...
der **Mist,** aber: er ➽ mi<u>ss</u>t
mit, der Mitarbeiter, das
Mitglied, das Mitleid,
mitleidig, miteinander
der **Mit|tag** (Mitte des
Tages), die Mittage, am
Mittag, eines Mittags,
heute Mittag, mittags,
das Mittagessen
die **Mit|te,** die Mitten, der
Mittelpunkt, die Mitter-
nacht, mitten im Zimmer
mit|tei|len, sie teilte mit,
die Mitteilung
das **Mit|tel,** die Mittel
mitt|ler|wei|le
der **Mitt|woch,**
die Mittwoche, mitt-
wochs, am Mittwoch
Die Germanen nannten den
Tag nach ihrem Gott Wodan
„Wodanstag". Als die Germa-
nen zu Christen wurden, erfand
die Kirche den neuen Namen
<u>Mitt</u>woch (<u>Mit</u>te der <u>Woche</u>).
mi|xen, er mixte,
der Mixer
die **Mö|bel,** möblieren,
der Möbelwagen
der **Mod|der*** (Morast)
die **Mo|de,** die Moden,
altmodisch ➽ modern
das **Mo|dell,** die Modelle
der **Mo|der,** modern (erste

Silbe betont: verfaulen)
mo|dern (zweite Silbe
betont)
das **Mo|fa,** die Mofas
mo|geln, sie mogelte
mö|gen, sie mag,
sie mochte
mög|lich,
die Möglichkeit
mög|lichst
der **Mohn**
die **Möh|re*** (Karotte),
die Möhren,
die Mohrrübe S. 230
der **Molch,** die Molche
die **Mo|le,** die Molen
die **Mol|ke|rei,**
die Molkereien
mol|lig
der **Mo|ment,** die Momente
der **Mo|nat,** die Monate,
monatlich ➔ Montag
„Monat" ist verwandt mit dem
Wort „Mond". Unsere Vorfah-
ren nannten den Monat sogar
„Mond": nach dem Zeitraum
eines Mondumlaufs um die
Erde (27 ½ Tage).
der **Mond,** die Monde
➔ Monat ➔ Montag
die **Mo|ne|ten**
der **Mon|tag,** die Montage,
am Montag, montags
➔ Monat
Unsere Vorfahren sagten:
„Mondtag", meinten also
„Tag des Mondes".

das **Moor,** die Moore,
moorig
das **Moos**
das **Mo|ped,** die Mopeds
die **Mo|ral**
der **Mord,** die Morde,
morden, der Mörder
mor|gen früh
der **Mor|gen,** die Morgen,
am Morgen, eines
Morgens, heute Morgen,
morgens, guten Morgen!
der **Mor|gen,** die Morgen
Ein „Morgen" Land war früher
so viel Land, wie ein Mann mit
einem Pferde- oder Ochsen-
gespann an einem Morgen
umpflügen konnte.
morsch
der **Mör|tel**
das **Mo|sa|ik,** die Mosaiken
die **Mo|schee,**
die Moscheen
der **Most,** die Moste
der **Mos|trich*** (Senf)
der **Mo|tor,** die Motoren
das **Mo|tor|rad,** die
Motorräder
die **Mot|te,** die Motten
die **Mö|we,** die Möwen
die **Mü|cke,** die Mücken
mü|de, die Müdigkeit
die **Mü|he,** die Mühen,
sich mühen, mühsam
die **Mühl|le,** die Mühlen
➔ mahlen

der **Müll,** der Mülleimer,
die Müllabfuhr S. 227

der **Mül|ler,** die Müller
mul|ti|pli|zie|ren,
sie multiplizierte

der **Mund,** die Münder,
mündlich, münden,
Mündung

die **Mu|ni|ti|on**

die **Mün|ze,** die Münzen
mür|be

die **Mur|mel,** die Murmeln
mur|meln, sie murmelte
mur|ren, sie murrte,
mürrisch

das **Mus** ➔ Gemüse

die **Mu|schel,** die Muscheln

das **Mu|se|um,** die Museen

das **Mu|si|cal,** die Musicals

die **Mu|sik,** musizieren,
musikalisch

der **Mus|kel,** die Muskeln,
muskulös

ich **muss**

die **Mu|ße,** müßig
müs|sen, er musste

das **Mus|ter,** die Muster,
mustern

der **Mut,** mutig

die **Mut|ter,** die Mütter,
mütterlich

die **Mut|ter** (für die Schrau-
be), die Muttern

die **Müt|ze,** die Mützen

N n

die **Na|be,** die Naben

der **Na|bel,** die Nabel
nach dem Essen
nach|ah|men, er ahmte
nach

der **Nach|bar,** die Nachbarn,
die Nachbarschaft

Das Wort hieß bei den
Germanen „nachgebur" und
bedeutete: naher Bauer.

je **nach|dem**
nach|ein|an|der

die **Nach|er|zäh|lung,**
die Nacherzählungen
nach|ge|ben, nachgiebig
nach Hau|se gehen
nach|läs|sig

der **Nach|mit|tag,**
die Nachmittage,
nachmittags

die **Nach|richt,** die Nach-
richten, benachrichtigen

der **nächs|te** Tag

die **Nacht,** die Nächte, heute
Nacht, nachts, nächtlich

Unsere Vorfahren rechneten
nicht nach Tagen, sondern
nach Nächten. Sie sagten nicht
„vierzehn Tage", sondern „vier-
zehn Nächte". Das sagen die
Engländer heute noch.

der **Nach|teil,** die Nachteile

die **Nach|ti|gall,**
die Nachtigallen

Na

der **Nach|tisch** (beim Essen)
   nach|träg|lich,
   der Nachtrag
der **Nacht|tisch** (am Bett),
   die Nachttische
der **Na|cken,** die Nacken
   nackt, nackend
die **Na|del,** die Nadeln
der **Na|gel,** die Nägel, nageln
   na|gen, er nagte
   nah, die Nähe, nähern
   nä|hen, er nähte
   näh|ren, ernähren
die **Nah|rung,** nahrhaft S. 203
die **Naht,** die Nähte
   na|iv, die Naivität
der **Na|me,** die Namen
   näm|lich
   Das Wort bedeutet: „um es ge-
   nauer beim <u>Nam</u>en zu nennen".
der **Napf,** die Näpfe
die **Nar|be,** die Narben
die **Nar|ko|se,** die Narkosen
der **Narr,** die Narren, närrisch
die **Nar|zis|se,** die Narzissen
   na|schen, er naschte
   S. 230
die **Na|se,** die Nasen
   na|se|weis
das **Nas|horn,** die Nashörner
   nass, die Nässe
das **Nas|tuch*** (Taschentuch)
die **Na|ti|on,** die Nationen,
   national
die **Na|tur,** natürlich

Ne

der **Ne|bel,** die Nebel,
   neb(e)lig
   ne|ben, nebeneinander,
   die Nebensache
   ne|cken, sie neckte
der **Nef|fe,** die Neffen
   ne|ga|tiv, das Negativ
der **Ne|ger,** die Neger
   „Nègre" (französisch) heißt:
   schwarz. Heute gebrauchen
   wir das deutsche Wort:
   → Schwarze bzw. Farbige
   neh|men, er ni<u>mm</u>t,
   er nahm, geno<u>mm</u>en,
   ni<u>mm</u>! S. 227
der **Neid,** neidisch
   nei|gen, sie neigte,
   die Neigung
   nein, Nein/nein sagen
die **Nel|ke,** die Nelken
   nen|nen, er nannte
das **Ne|on,** das Neonlicht
der **Nerv,** die Nerven
   ner|vös, die Nervosität
die **Nes|sel,** die Nesseln
das **Nest,** die Nester
   nett
   net|to
das **Netz,** die Netze
   neu, die Neuigkeit
die **Neu|gier** oder:
   die Neugierde, neugierig
   neu|lich
   neun, neunzehn,
   neunzig, neunmal

nicht

die **Nich|te,** die Nichten

nichts, gar nichts

ni|cken, sie nickte

nie wieder!

nie|der, auf und nieder,
die → Niederlande, die
Niederung, die Nieder-
lage → legen

die **Nie|der|lan|de,**
der Niederländer,
niederländisch

Holland oder Niederlande:
niedrig gelegenes Land. Ein
Teil Hollands liegt sogar tiefer
als der Meeresspiegel.

Nie|der|sach|sen,
der Niedersachse,
niedersächsisch

der **Nie|der|schlag,**
die Niederschläge

nied|lich

nied|rig → Niederlande

nie|mals

nie|mand → Mann

die **Nie|re,** die Nieren

nie|sen, er nieste,
geniest

die **Nie|te,** die Nieten
(1. Los ohne Gewinn,
2. Metallstift)

der **Ni|ko|laus**

das **Ni|ko|tin**

das **Nil|pferd,** die Nilpferde

nir|gends, nirgendwo

die **Ni|sche,** die Nischen

nis|ten, er nistete

die **Ni|xe,** die Nixen

noch, noch einmal

das **No|men,** die Nomen
S. 237

der **No|mi|na|tiv**

der **Nor|den,** nördlich,
der Nordpol

Nord|rhein-West|fa|len,
der Nordrhein-Westfale,
nordrhein-westfälisch

die **Nord|see** (die See im
Norden)

nör|geln, er nörgelte

nor|mal

Nor|we|gen, der Nor-
weger, norwegisch

die **Not,** die Nöte, die Not-
landung, die Notlüge,
notwendig, nötig

Wer angegriffen wird und sich
verteidigt, wehrt sich aus Not:
aus Notwehr. Er tut es, um die
Not zu wenden: Es ist notwen-
dig (nötig).

die **No|te,** die Noten (1. Ton-
zeichen in der Musik,
2. Zensur in der Schule,
3. Banknote)

no|tie|ren, er notierte

nö|tig

die **No|tiz,** die Notizen

not|wen|dig,
die Notwendigkeit
→ Not

der **No|vem|ber** → Oktober
„Novem" (lateinisch) hieß:
neun. Bei den alten Römern
war der November der neunte
Monat.

im **Nu**

nüch|tern

die **Nu|del,** die Nudeln

null Fehler

die **Null,** die Nullen

die **Num|mer,** die Nummern

num|me|rie|ren,
sie nummerierte

nun

nur

die **Nuss,** die Nüsse

der **Nut|zen,** wir nutzen es

nüt|zen, es nützte

nütz|lich

das **Ny|lon**

O o

ob, obgleich

o|ben, oberhalb

der **O|ber,** die Ober

die **O|ber|flä|che,**
die Oberflächen,
oberflächlich

das **Ob|jekt,** die Objekte

die **Ob|la|te,** die Oblaten

das **Obst**

ob|wohl

der **Och|se,** die Ochsen

ö|de

der **O|del*** (Jauche)

o|der

der **O|fen,** die Öfen

of|fen, offensichtlich

öf|fent|lich

der **Of|fi|zier,** die Offiziere

öff|nen, er öffnete,
die Öffnung

oft

oh|ne

die **Ohn|macht,** ohnmächtig

das **Ohr,** die Ohren

die **Ohr|fei|ge,** die Ohrfeigen
S. 230
Die Feige war früher ein Arznei-
mittel. Freche Kinder kriegten
als „Arznei" Schläge ans Ohr.

o|kay, kurz: o. k.

die **Ö|ko|lo|gie,** die Öko-
steuer, ökologisch

der **Ok|to|ber,** November
> „Octo" (lateinisch) hieβ: acht.
> Für die alten Römer war der
> Oktober der achte Monat.

das **Öl,** die Öle, ölen, ölig

die **O|li|ve,** die Oliven

die **O|lym|pi|a|de,**
die Olympiaden,
die Olympischen Spiele

die **O|ma,** die Omas

der **Om|ni|bus,**
die Omnibusse
> „Omnibus" (lateinisch) hieβ:
> für alle.

der **On|kel,** die Onkel oder:
die Onkels

der **O|pa,** die Opas

die **O|per,** die Opern

die **O|pe|ra|ti|on,**
die Operationen,
operieren

das **Op|fer,** die Opfer, opfern

die **Op|tik,** der Optiker

der **Op|ti|mis|mus,**
der Optimist,
optimistisch
o|ran|ge (Farbe)

die **O|ran|ge,** die Orangen

das **Or|ches|ter,**
die Orchester
ord|nen, sie ordnete,
ordentlich, die Ordnung

die **Or|ga|ni|sa|ti|on,**
die Organisationen,
organisieren

die **Or|gel,** die Orgeln

das **O|ri|gi|nal,** die Originale

der **Or|kan,** die Orkane

der **Ort,** die Orte,
die Ortschaft, örtlich

der **Os|ten,** östlich
Os|tern, österlich
Ös|ter|reich,
der Österreicher,
österreichisch

die **Ost|see** (die See im
Osten)
o|val

der **O|ze|an,** die Ozeane

A
B
C
D
E
F
G
H
I
J
K
L
M
N
O
P
Q
R
S
T
U
V
W
X
Y
Z

P p

ein **paar** Tage lang
das **Paar** Schuhe, zwei Paare,
　　ein Pärchen
die **Pacht,** die Pachten,
　　der Pächter, pachten
pa|cken, sie packte,
　　einpacken, auspacken,
　　der Packen,
　　das Päckchen
　　Ein Pack oder Packen ist ein
　　Bündel. Wer einen <u>Packen</u>
　　fertig macht, der <u>packt</u> ihn.
das **Pad|del,** die Paddel,
　　paddeln
das **Pa|ket,** die Pakete, aber:
　　pa<u>ck</u>en → Gepä<u>ck</u>
der **Pa|last,** die Paläste
die **Pal|me,** die Palmen
die **Pam|pe*** (Schlamm)
die **Pam|pel|mu|se,**
　　die Pampelmusen
die **Pa|nik**
die **Pan|ne,** die Pannen
der **Pan|ter/Panther,**
　　die Panter
der **Pan|tof|fel,**
　　die Pantoffeln S. 230
der **Pan|zer,** die Panzer,
　　gepanzert
der **Pa|pa,** die Papas
der **Pa|pa|gei,** die Papageien
das **Pa|pier,** die Papiere

die **Pap|pe,** die Pappen
　　Der <u>Papp</u> ist ein Brei. Pappe
　　wurde früher hergestellt,
　　indem Papierschichten mit
　　Klebebrei übereinander
　　geklebt wurden.
die **Pap|pel,** die Pappeln
der **Pap|ri|ka,**
　　die Paprikaschote
der **Papst,** die Päpste
das **Pa|ra|dies,** die Paradiese
der **Pa|ra|graf/Pa|ra|graph**
　　pa|ral|lel
der **Pa|ra|sit,** die Parasiten
das **Par|füm,** die Parfüms
　　pa|rie|ren, er parierte
der **Park,** die Parks oder:
　　die Parke
　　par|ken, er parkte
das **Par|la|ment,**
　　die Parlamente
die **Pa|ro|le,** die Parolen
die **Par|tei,** die Parteien,
　　parteiisch
das **Par|ter|re**
der **Part|ner,** die Partner
der **Pass,** die Pässe
　　(1. Personalausweis,
　　2. Bergübergang)
der **Pas|sa|gier,**
　　die Passagiere
　　pas|sen, es passte
　　pas|sie|ren, es passierte
　　pas|siv
die **Pas|te,** die Pasten

der **Pas|tor,** die Pastoren
  „Pastor" (lateinisch) hieß: Hirte.
der **Pa|te,** die Paten,
  die Patenschaft
das **Pa|tent,** die Patente
der **Pa|ti|ent,** die Patienten
die **Pa|tro|ne,** die Patronen
die **Pau|ke,** die Pauken,
  pauken
die **Pau|se,** die Pausen
  pau|sen, er pauste,
  durchpausen,
  das Pauspapier
der **Pa|vi|an,** die Paviane
das **Pech,** der Pechvogel
das **Pe|dal,** die Pedale
der **Pe|gel**
  pei|len, er peilte
die **Pein,** peinigen,
  der Peiniger, peinlich
die **Peit|sche,** die Peitschen
die **Pel|le,** die Pellen, pellen
der **Pelz,** die Pelze, pelzig
das **Pen|del,** die Pendel,
  pendeln
die **Pen|si|on,** die Pensionen
  per|fekt
die **Pe|ri|o|de,** die Perioden
die **Per|le,** die Perlen
das **Per|lon**
die **Per|son,** die Personen,
  die Persönlichkeit,
  das Personal, persönlich
die **Pe|rü|cke,** die Perücken

der **Pes|si|mis|mus,** der
  Pessimist, pessimistisch
die **Pe|ter|si|lie**
das **Pe|tro|le|um**
  pet|zen, er petzte
der **Pfad,** die Pfade
der **Pfahl,** die Pfähle
die **Pfalz,** der Pfälzer,
  pfälzisch
das **Pfand,** die Pfänder,
  pfänden
die **Pfan|ne,** die Pfannen
der **Pfar|rer,** die Pfarrer
der **Pfau,** die Pfauen
  pfau|chen/fau|chen
der **Pfef|fer,** das Pfefferkorn
die **Pfef|fer|min|ze**
die **Pfei|fe,** die Pfeifen,
  pfeifen, er pfiff
  „Pipa" nannten die Römer eine
  Flöte. Daraus machten die
  Germanen „pfifa".
der **Pfeil,** die Pfeile
der **Pfei|ler,** die Pfeiler
der **Pfen|nig,** die Pfennige
  (Pf.)
das **Pferd,** die Pferde S. 230
  Die Germanen nannten ihr
  Pferd „ros" und „gul". Daraus
  wurde „Ross" und „Gaul".
  Die römischen Postpferde
  nannten sie „pfärfrit".
der **Pfiff,** die Pfiffe ➜ Pfeife
  Pfings|ten
der **Pfir|sich,** die Pfirsiche
die **Pflan|ze,** die Pflanzen,

A
B
C
D
E
F
G
H
I
J
K
L
M
N
O
P
Q
R
S
T
U
V
W
X
Y
Z

pflanzen
das **Pflas|ter,** die Pflaster
(1. Wundpflaster,
2. Steinpflaster)
die **Pflau|me,** die Pflaumen
pfle|gen, sie pflegte,
die Pflege, pflege-
bedürftig, die Pflege-
versicherung
die **Pflicht,** die Pflichten,
pflichtbewusst
pflü|cken, er pflückte
der **Pflug,** die Pflüge,
pflügen
die **Pfor|te,** die Pforten,
der Pförtner
der **Pfos|ten,** die Pfosten
die **Pfo|te,** die Pfoten
der **Pfrop|fen,** die Pfropfen
pfui
das **Pfund,** die Pfunde (Pfd.)
pfu|schen, er pfuschte
die **Pfüt|ze,** die Pfützen
die **Phan|ta|sie/Fan|ta|sie**
das **Phan|tom,**
die Phantome
das **Pho|to/Foto**
die **Phy|sik,** physikalisch
der **Pi|ckel,** die Pickel
pi|cken, sie pickte
das **Pick|nick**
pie|pen, er piepte,
piepsen → Pfeife
pi|kant

die **Pil|le,** die Pillen
der **Pi|lot,** die Piloten
der **Pilz,** die Pilze
der **Pin|gu|in,** die Pinguine
die **Pinn|wand**
der **Pin|sel,** die Pinsel,
pinseln
die **Pin|zet|te,** die Pinzetten
„Pincette" (französisch) heißt:
kleine Zange.
der **Pi|rat,** die Piraten
pir|schen, er pirschte,
die Pirsch
die **Pis|te,** die Pisten
die **Pis|to|le,** die Pistolen
die **Piz|za,** die Pizzas oder:
die Pizzen
die **Pla|ge,** die Plagen,
plagen
das **Pla|kat,** die Plakate
die **Pla|ket|te,** die Plaketten
der **Plan,** die Pläne, planen
die **Pla|ne,** die Planen
der **Pla|net,** die Planeten
plan|schen, sie planschte
plant|schen,
sie plantschte
plap|pern, er plapperte
S. 223
das **Plas|tik,** plastisch
plät|schern,
er plätscherte
platt, die Platte, plätten,
er hat einen Platten

das **Platt,** er spricht Platt
der **Platz,** die Plätze
    plat|zen, er platzte
    plau|dern, sie plauderte,
    die Plauderei
die **Plei|te,** die Pleiten,
    er ist pleite, er macht
    Pleite
die **Plom|be,** die Plomben
    (1. Versiegelung,
    2. Zahnfüllung)
    plötz|lich
    plump
der **Plun|der,**
    die Plünderung,
    der Plünderer, plündern
    „Plunder" nannte man früher
    Kleider, Wäsche, Bettzeug.
    Wer das raubte, <u>plünderte</u>.
der **Plu|ral** S. 237
    plus
    po|chen, sie pochte
die **Po|cke,** die Pocken
die **Po|e|sie,**
    das Poesiealbum
der **Po|kal,** die Pokale
der **Pol,** die Pole
    Po|len, der Pole,
    polnisch
    po|lie|ren, er polierte
die **Po|li|tik,** der Politiker,
    politisch
die **Po|li|zei,** der Polizist
der **Pol|len**
das **Pols|ter,** die Polster,

polstern
pol|tern, er polterte
Pom|mern, der Pommer,
pommerisch (auch:
pommersch)
das **Po|ny,** die Ponys
    (1. Pferdchen,
    2. Pferdchenfrisur)
der **Po|po,** die Popos
die **Po|re,** die Poren
das **Porte|mon|naie/**
    Portmo|nee
die **Por|tion,** die Portionen
das **Por|to,** die Porti
    Por|tu|gal,
    der Portugiese,
    portugiesisch
das **Por|zel|lan**
    po|si|tiv
die **Post,** der Postbote,
    die Postkarte
der **Pos|ten,** die Posten
die **Pracht,** prächtig
das **Prä|di|kat,** die Prädikate
    prä|gen, er prägte
    prah|len, sie prahlte
    prak|tisch
die **Pra|li|ne,** die Pralinen
    prall
die **Pran|ke,** die Pranken
das **Prä|sens** S. 236
der **Prä|si|dent,**
    die Präsidenten,
    die Präsidentin

A B C D E F G H I J K L M N O P Q R S T U V W X Y Z

pras|seln, es prasselte
die **Pra|xis,** die Praxen
pre|di|gen, er predigte,
die Predigt
der **Preis,** die Preise
die **Prei|sel|bee|re,**
die Preiselbeeren
prei|sen, sie pries
prel|len, er prellte,
die Prellung
die **Pres|se** (Zeitungswesen)
pres|sen, sie presste,
die Presse
der **Pries|ter,** die Priester
pri|ma
die **Pri|mel,** die Primeln
der **Prinz,** die Prinzen,
die Prinzessin
pri|vat
die **Pro|be,** die Proben, pro-
ben
pro|bie|ren, er probierte
S. 224
das **Pro|blem,** die Probleme
pro|du|zie|ren,
er produzierte,
das Produkt
der **Pro|fes|sor,**
die Professoren,
die Professorin
das **Pro|gramm,**
die Programme
der **Pro|jek|tor,**
die Projektoren,

projizieren
prompt
das **Pro|no|men,**
die Pronomen S. 238
der **Pro|pel|ler,** die Propeller
der **Pro|phet,** die Propheten
der **Pro|spekt,** die Prospekte
der **Pro|test,** die Proteste,
protestieren
die **Pro|the|se,**
die Prothesen
das **Pro|to|koll,**
die Protokolle
der **Pro|vi|ant**
das **Pro|zent,** die Prozente
der **Pro|zess,** die Prozesse
prü|fen, sie prüfte,
die Prüfung
prü|geln, er prügelte,
die Prügel, die Prügelei
prus|ten, sie prustete
der **Psalm,** die Psalmen
die **Pu|ber|tät**
das **Pu|bli|kum**
der **Pud|ding,** die Puddinge
oder: die Puddings
der **Pu|del,** die Pudel
der **Pu|der,** pudern
der **Puf|fer,** die Puffer
der **Pul|lo|ver,** die Pullover
„Pull over" (englisch) heißt:
zieh über.
der **Puls,** die Pulse
das **Pult,** die Pulte
das **Pul|ver,** die Pulver

die **Pum|pe,** die Pumpen,
  pumpen
der **Punkt,** die Punkte,
  pünktlich
die **Pu|pil|le,** die Pupillen
die **Pup|pe,** die Puppen
  pur|zeln, er purzelte
  pus|ten, sie pustete,
  die Puste
  put|zen, er putzte,
  der Putz, die Putzfrau
der **Putz|lap|pen*,** der **Putz-
  lum|pen*** (Scheuertuch,
  Aufnehmer)
der **Py|ja|ma,** die Pyjamas
die **Py|ra|mi|de,**
  die Pyramiden

Qu qu

das **Qua|drat,** die Quadrate,
  quadratisch
  „Quadrus" (lateinisch) hieß:
  viereckig.
  qua|ken, er quakte
die **Qual,** die Qualen,
  quälen S. 225
die **Qua|li|tät,**
  die Qualitäten
die **Qual|le,** die Quallen
der **Qualm,** qualmen
der **Quark*** (Weißkäse)
das **Quar|tett,** die Quartette
  „Quartus" (lateinisch) hieß:
  der Vierte.
das **Quar|tier,** die Quartiere
  quas|seln, er quasselte
  quat|schen, er quatsch-
  te, der Quatsch
das **Queck|sil|ber**
die **Quel|le,** die Quellen,
  quellen
  quer, der Querschnitt
  quet|schen, er quetschte,
  die Quetschung
  quie|ken, es quiekte
  quiet|schen, es quietschte
der **Quirl,** die Quirle, quirlen
die **Quit|tung,** die Quit-
  tungen, quittieren, wir
  sind quitt
das **Quiz**

A B C D E F G H I J K L M N O P Q R S T U V W X Y Z

R r

der **Ra|batt**

der **Ra|be,** die Raben

die **Ra|che,** rächen, der
    Rächer

der **Ra|chen,** die Rachen

das **Rad,** die Räder,
    der Radfahrer, Rad
    fahren, ich fahre Rad

der/ das **Ra|dar**

der **Ra|di*** (Rettich)
    ra|die|ren, sie radierte,
    der Radierer,
    der Radiergummi

das **Ra|dies|chen,**
    die Radieschen
    ra|di|kal

das **Ra|dio,** die Radios
    raf|fi|niert
    ra|gen, es ragte hervor

der **Rahm*** (Sahne)

der **Rah|men,** die Rahmen,
    einrahmen

die **Ra|ke|te,** die Raketen
    ram|men, er rammte

die **Ram|pe,** die Rampen

der **Rand,** die Ränder

der **Rang,** die Ränge
    ran|geln* (raufen)

die **Ran|ke,** die Ranken

der **Ran|zen,** die Ranzen S. 231
    ran|zig

der **Rap|pe,** die Rappen
    Ein fuchsrotes Pferd nennt man
    „Fuchs". Ein rabenschwarzes
    hieß früher „Rabe". Daraus
    wurde „Rappe".

der **Raps**
    rar, die Rarität
    rasch
    ra|scheln, es raschelte
    ra|sen, sie raste

der **Ra|sen,** die Rasen
    ra|sie|ren, er rasierte

die **Ras|se,** die Rassen

die **Ras|sel,** die Rasseln,
    rasseln

die **Rast,** die Rasten, rasten,
    die Raststätte

der **Rat,** die Ratschläge,
    raten, ich rate dir
    → Vorrat
    Im R<u>a</u>thaus ber<u>a</u>ten die Mit-
    glieder des Stadt- oder Ge-
    meinder<u>a</u>tes; ein guter R<u>a</u>t.

die **Ra|te,** die Raten
    ra|ten, er rät, er riet

das **Rät|sel,** die Rätsel, raten

die **Rat|te,** die Ratten
    rat|tern, sie ratterte

der **Ratz*** (Ratte)
    rau, der Raureif

der **Raub,** rauben,
    der Räuber, das Raubtier

der **Rauch,** rauchen,
    der Raucher
    räu|chern, er räucherte
    Fleisch wurde haltbar, wenn

man es über den Herd hängte,
wo der Rauch in den Schornstein abzog.

rau|fen, er raufte

der **Raum,** die Räume,
räumen, das Raumschiff

die **Rau|pe,** die Raupen

raus

rau|schen, es rauschte

sich **räus|pern,** er räusperte
sich

die **Raz|zia,** die Razzien

re|a|gie|ren, sie reagierte

die **Re|al|schu|le,**
die Realschulen

die **Re|be,** die Reben

der **Re|chen*** (Harke) S. 230

rech|nen, sie rechnete,
das Rechnen,
die Rechnung,
der Rechner

recht, erst recht

Bei den Germanen bedeutete
„recht": gerade. Noch heute
steckt diese Bedeutung in
„auf<u>recht</u>", „senk<u>recht</u>",
„<u>Recht</u>eck". Später meinten
unsere Vorfahren damit auch
„richtig": → richten.

das **Recht,** ich bin im Recht;
sie hat Recht, die Rechtschreibung, der Rechtsanwalt → recht

„Recht" ist das Richtige, das
im → Gesetz aufgeschrieben
ist.

das **Recht|eck,** die Rechtecke

rechts → links

Alles an unserer rechten Seite
galt seit Tausenden von Jahren
als stärker und vornehmer.
Noch heute muss man vor Gericht die rechte Hand heben,
wenn man etwas beschwört.
Eine Verkehrsregel: Rechts vor
links!

recht|zei|tig, zur rechten
Zeit → recht

das **Reck,** die Recke oder:
die Recks

re|cken, sie reckte

die **Re|de,** die Reden,
reden S. 223, der Redner

red|lich

re|for|mie|ren, er reformierte, die Reform,
die Reformation

„Reformare" (lateinisch) hieß
etwa: erneuern.

das **Re|gal,** die Regale

re|ge

die **Re|gel,** die Regeln,
die Regelung,
regelmäßig, regelrecht

re|geln, er regelte

re|gen, sie regte sich,
die Regung

der **Re|gen,** regnen

re|gie|ren, er regierte,
die Regierung

reg|nen, es regnete,
der Regen S. 231

das **Reh,** die Rehe

rei|ben, sie rieb,

die Reibe, die Reibung
reich, der Reichtum,
der Reiche, reichlich,
reichhaltig
das **Reich,** die Reiche
rei|chen, es reichte
reif, reifen, die Reife
der **Reif** (Ring), die Reife
der **Reif** (Raureif)
der **Rei|fen,** die Reifen
die **Rei|he,** die Reihen
der **Reim,** die Reime, reimen
rein, reinigen, die Reini-
gung, die Reinheit
der **Reis**
rei|sen, er reiste ab,
die Reise
das **Rei|sig**
rei|ßen, sie ri<u>ss</u>, geri<u>ss</u>en,
der Ri<u>ss</u>, abreißen,
zerreißen S. 223
rei|ten, er ri<u>tt</u>, der Reiter,
der Ri<u>tt</u>
rei|zen, sie reizte,
reizend, der Reiz
die **Re|kla|me**
der **Re|kord,** die Rekorde
der **Rek|tor,** die Rektoren,
die Rektorin
die **Re|li|gi|on,**
die Religionen, religiös
die **Re|li|quie,** die Reliquien
rem|peln, er rempelte
ren|nen, er rannte S. 222,

das Rennen
re|no|vie|ren,
sie renovierte,
die Renovierung
die **Ren|te,** die Renten, der
Rentner, die Rentnerin
re|pa|rie|ren, sie repa-
rierte, die Reparatur
der **Re|por|ter,** die Reporter,
die Reportage
das **Rep|til,** die Reptilien
die **Re|pu|blik,**
die Republiken
re|ser|vie|ren, sie reser-
vierte, die Reserve
der **Re|spekt**
der **Rest,** die Reste
das **Re|stau|rant,**
die Restaurants
das **Re|sul|tat,** die Resultate
ret|ten, sie rettete,
die Rettung, der Retter
der **Ret|tich,** die Rettiche
die **Reue,** reuen, es reute
mich, reumütig
das **Re|vier,** die Reviere
die **Re|vo|lu|ti|on,**
die Revolutionen,
der Revolutionär
das **Re|zept,** die Rezepte
Früher gab es kaum fertige Arz-
neien, sondern der Apotheker
machte sie. Der Arzt gab auf ei-
nem Papier die Anweisung.
Wenn der Apotheker den Auf-
trag erledigt hatte, schrieb er

auf die Anweisung: „receptum".
Das hieß so viel wie „erledigt".

der **Rha|bar|ber**

der **Rhein**

Rhein|land-Pfalz,
der Rheinland-Pfälzer,
rheinland-pfälzisch

der **Rhyth|mus,**
die Rhythmen,
rhythmisch

rich|ten, sie richtete

Wer nach dem ➜ Recht im
Gesetzbuch urteilt, ist ein
Richter und richtet.
„Richten" heißt aber auch so
viel wie „gerade machen". Wir
sagen: „aufrichten", „errichten"
und „Richtfest". ➜ recht

rich|tig ➜ recht

die **Rich|tung,**
die Richtungen

das **Rick*** (Gestell)

rie|chen, er roch

die **Rie|ge,** die Riegen

der **Rie|gel,** die Riegel

der **Rie|men,** die Riemen

der **Rie|se,** die Riesen, riesig

rie|seln, es rieselte

die **Ril|le,** die Rillen

das **Rind,** die Rinder

die **Rin|de,** die Rinden

der **Ring,** die Ringe

rin|gen, er rang,
gerungen, der Ringkampf

rings, ringsumher

die **Rin|ne,** die Rinnen,
rinnen

die **Rip|pe,** die Rippen

das **Ri|si|ko,** die Risikos
oder: die Risiken

ris|kie|ren, sie riskierte,
riskant

es **riss** (Grundform: reißen)

der **Riss,** die Risse

der **Ritt,** die Ritte, rittlings

der **Rit|ter,** die Ritter,
ritterlich

rit|zen, er ritzte,
die Ritze

der **Ro|bo|ter,** die Roboter

rö|cheln, sie röchelte

der **Rock,** die Röcke

ro|deln, sie rodelte

ro|den, er rodete

der **Rog|gen**

roh, die Rohheit

das **Rohr,** die Rohre, die
Röhre, das Wasserrohr

die **Rol|le,** die Rollen

rol|len, sie rollte,
der Roller

der **Roll|la|den,** die Roll-
läden oder: die Rollladen

das **Rol|lo,** die Rollos

der **Ro|man,** die Romane

ro|man|tisch

rönt|gen, er wurde
geröntgt

Der Mann, der die Strahlen
entdeckte, mit denen man
Menschen „durchleuchten"
kann, hieß Conrad Röntgen.

die **Rönt|gen|un|ter|su|chung**
     ro|sa
die **Ro|se,** die Rosen, rosig
die **Ro|si|ne,** die Rosinen
das **Ross,** die Rosse oder:
     die Rösser S. 230 → Pferd
der **Rost** (rostiges Eisen),
     rosten, rostig
der **Rost** (Gitter über dem
     Feuer), die Roste, rösten
     rot, das Rote Kreuz,
     das Rotkehlchen
die **Rü|be,** die Rüben
der **Ruck,** rucken, ruckartig
     rü|cken, sie rückte
der **Rü|cken,** die Rücken,
     die Rückfahrt, die Rück-
     kehr, das Rücklicht,
     der Rücktritt

Was wir beim Gehen hinter
uns liegen lassen, bleibt hinter
unserem Rücken zurück: Es
liegt rückwärtig.

der **Ruck|sack,**
     die Rucksäcke
die **Rück|sicht,**
     die Rücksichten,
     rücksichtslos
     rück|wärts → Rücken
     ruck, zuck!
der **Rü|de,** die Rüden
das **Ru|del,** die Rudel
das **Ru|der,** die Ruder,
     rudern, der Ruderer
     ru|fen, er rief, der Ruf

die **Rü|ge,** die Rügen, rügen
die **Ru|he,** ruhen, ruhig
der **Ruhm,** rühmen, berühmt
die **Ruhr,** das Ruhrgebiet
     rüh|ren, er rührte,
     rührend, die Rührung,
     das Rührei

„Rühren" bedeutet so viel wie
„bewegen". Wenn uns eine
Geschichte innerlich bewegt,
sind wir gerührt.

Ru|mä|ni|en,
     der Rumäne, rumänisch
der **Rum|mel**
der **Rumpf,** die Rümpfe
     rümp|fen, sie rümpfte
     rund, die Rundung, die
     Runde, rundherum
     run|ter
die **Run|zel,** die Runzeln,
     runzeln, runz(e)lig
der **Rü|pel,** die Rüpel
     rup|fen, er rupfte
der **Ruß,** rußen, rußig
der **Rüs|sel,** die Rüssel
     Russ|land, der Russe,
     russisch
     rüs|ten, er rüstete,
     die Rüstung
     rüs|tig
die **Ru|te,** die Ruten
die **Rut|sche,** die Rutschen,
     rutschen S. 231, rutschig
     rüt|teln, er rüttelte

S s

der **Saal,** die Säle
das **Saar|land,**
    der Saarländer,
    saarländisch
die **Saat,** die Saaten
die **Sa|che,** die Sachen,
    sachlich
die **Sach|kun|de**
    Sach|sen, der Sachse,
    sächsisch
    Sach|sen-An|halt,
    der Sachsen-Anhalter,
    ein Sachsen-Anhalter
    Dorf
der **Sach|un|ter|richt**
der **Sack,** die Säcke
    sä|en, er säte
der **Saft,** die Säfte, saftig
die **Sa|ge,** die Sagen
    sa|gen, sie sagte S. 223
    sä|gen, er sägte, die Säge
die **Sah|ne,** sahnig
die **Sai|son,** die Saisons
die **Sai|te,** die Saiten der
    Gitarre; aber: ➜ S<u>ei</u>te
der **Sa|la|man|der,**
    die Salamander
die **Sa|la|mi,** die Salamis
der **Sa|lat,** die Salate
die **Sal|be,** die Salben,
    salben

der **Sal|to,** die Saltos oder:
    die Salti
das **Salz,** die Salze, salzig
der **Sa|me** oder: der Samen,
    die Samen
    sam|meln, er sammelte,
    die Sammlung
der **Sams|tag*** (Sonnabend),
    die Samstage, samstags,
    am Samstag
der **Samt**
    sämt|lich, samt und
    sonders, allesamt
das **Sa|na|to|ri|um,**
    die Sanatorien
    „Sanare" (lateinisch) hieß:
    gesund machen.
der **Sand,** sandig
die **San|da|le,** die Sandalen
    sanft, sanftmütig
der **Sän|ger,** die Sänger,
    die Sängerin
der **Sa|ni|tä|ter,** die Sanitäter
der **Sarg,** die Särge
der **Sa|tel|lit,** die Satelliten
    satt, gesättigt
der **Sat|tel,** die Sättel, der
    Sattler, das Pferd satteln
der **Satz,** die Sätze S. 228
die **Sau,** die Säue oder:
    die Sauen
    sau|ber, säubern,
    die Sauberkeit
die **Sau|ce** (auch: die S<u>o</u>ße),
    die Saucen

sau|er, die Säure,
das Sauerkraut,
der saure Regen
der **Sau|er|stoff**
sau|fen, er soff,
der Säufer
sau|gen, er saugte,
der Säugling,
das Säugetier
die **Säu|le,** die Säulen
der **Saum,** die Säume
die **Sau|na,** die Saunas
oder: die Saunen
sau|sen, es sauste
die **S-Bahn** (<u>S</u>tadtbahn,
<u>S</u>chnellbahn),
die S-Bahnen
Scha... siehe auch Cha...
scha|ben, er schabte
schä|big
die **Scha|blo|ne,**
die Schablonen
das **Schach,** das Schachspiel
→ matt
der **Schacht,** die Schächte,
ausschachten
die **Schach|tel,**
die Schachteln
wie **scha|de** ist das!
der **Schä|del,** die Schädel
scha|den, er schadete,
der Schaden, der Schäd-
ling, schadenfroh,
schädigen, schädlich

das **Schaf,** die Schafe, der
Schäfer, der Schäferhund
schaf|fen, er schaffte
S. 225
der **Schaff|ner,** die Schaffner,
die Schaffnerin
der **Schal,** die Schale oder:
die Schals
die **Scha|le,** die Schalen,
schälen
der **Schall,** schallen
schal|ten, er schaltete,
der Schalter
die **Scham,** sich schämen
die **Schan|de,** schändlich
die **Schar,** die Scharen
scharf, die Schärfe,
schärfen
der **Schar|lach**
„Scharlach" heißt ein roter
Farbton. Die Krankheit heißt
nach der roten Farbe des Haut-
ausschlags.
schar|ren, es scharrte
der **Schat|ten,** die Schatten,
schattig
der **Schatz,** die Schätze
schät|zen, er schätzte
Ursprünglich hieß das: den
Wert eines <u>Schatz</u>es ungefähr
berechnen.
schau|en, sie schaute,
die Schau,
das Schaufenster
der **Schau|er,** die Schauer,
schauern

die **Schau|fel,** die Schaufeln,
schaufeln
die **Schau|kel,**
die Schaukeln,
schaukeln
der **Schaum,** schäumen
schau|rig
der **Scheck,** die Schecks
die **Schei|be,** die Scheiben

Die Germanen nannten eine
vom Baumstamm abgeschnit-
tene runde Platte „skiba".
Daraus wurde „Scheibe". Die
Fensterscheiben nannte man
später so, weil auch sie damals
rund waren.

die **Schei|de,** die Scheiden
schei|den, er schied,
geschieden,
die Scheidung
schein|bar
➔ anscheinend

Die Zeit stand scheinbar still
(nicht in Wirklichkeit).

schei|nen, es schien,
der Schein, scheinbar
der **Schei|tel,** die Scheitel
schei|tern, es scheiterte
die **Schel|le,** die Schellen
schel|len, es schellte
der **Sche|mel,** die Schemel
der **Schen|kel,** die Schenkel
schen|ken, sie schenkte
S. 225, das Geschenk
die **Scher|be,** die Scherben
die **Sche|re,** die Scheren

der **Scherz,** die Scherze,
scherzen
scheu, scheuen,
die Scheu
scheu|chen,
er scheuchte
scheu|ern, er scheuerte
das **Scheu|er|tuch*** (Auf-
nehmer, Putzlumpen)
die **Scheu|ne,** die Scheunen
das **Scheu|sal,** die Scheusale
scheuß|lich
der **Schi** (auch: der S**k**i),
die Schier
die **Schicht,** die Schichten
schick
schi|cken, sie schickte
das **Schick|sal,**
die Schicksale
schie|ben, sie schob, der
Schieber, die Schiebung
der **Schieds|rich|ter,**
die Schiedsrichter
schief
der **Schie|fer**
schie|len, sie schielte
das **Schien|bein,**
die Schienbeine ➔ Bein
die **Schie|ne,** die Schienen
schie|ßen, er scho<u>ss</u>,
gescho<u>ss</u>en, der Schu<u>ss</u>
das **Schiff,** die Schiffe, die
Schifffahrt, der Schiff-
bruch S. 226, schiffbar

die **Schi|ka|ne,** die
Schikanen, schikanieren

der **Schild** des Ritters,
die Schilde

das **Schild,** die Schilder
schil|dern, er schilderte,
die Schilderung

die **Schild|krö|te,**
die Schildkröten

das **Schilf**

der **Schim|mel,**
die Schimmel
(1. weißes Pferd, 2. Pilz)
schim|mern, es schim-
merte, der Schimmer

der **Schim|pan|se,**
die Schimpansen
schimp|fen, er schimpfte

die **Schin|del,** die Schindeln

der **Schin|ken,** die Schinken

der **Schirm,** die Schirme

die **Schlacht,** die Schlachten,
schlachten, der Schlach-
ter oder: der Schlächter

die **Schla|cke,** die Schlacken

der **Schlaf,** der Schläfer

die **Schlä|fe,** die Schläfen
Sie heißt so, weil man im
Schlaf darauf liegt.

schla|fen, sie schlief,
schlaflos, schläfrig

schlaff

schla|gen, er schlug, der
Schlag, der Schläger,
die Schlägerei

der **Schlamm,** schlammig
schlam|pig,
die Schlamperei

die **Schlan|ge,**
die Schlangen, Schlange
stehen, sich schlängeln
→ Serpentine

schlank

schlapp

schlau, die Schlauheit,
die Schläue

der **Schlauch,** die Schläuche

die **Schlau|fe,** die Schlaufen
schlecht, die Schlechtig-
keit

schlei|chen, sie schlich
S. 222

der **Schlei|er,** die Schleier,
schleierhaft

die **Schlei|fe,** die Schleifen
schlei|fen, er schl<u>iff</u>

der **Schleim,** schleimig
schlen|dern,
sie schlenderte
schlep|pen, er schleppte,
der Schlepper,
die Schleppe
Schles|wig-Hol|stein,
der Schleswig-Holsteiner,
schleswig-holsteinisch

die **Schleu|der,**
die Schleudern,
schleudern
schleu|nig(st)

die **Schleu|se,** die Schleusen,
schleusen
schlicht
schlich|ten, er schlichte-
te, die Schlichtung
schlie|ßen, ich schlo~~ss~~,
geschlo~~ss~~en
schließ|lich
schlimm
die **Schlin|ge,** die Schlingen
der **Schlin|gel,** die Schlingel
schlin|gen, er schlang,
geschlungen S. 224
der **Schlips,** die Schlipse
der **Schlit|ten,** die Schlitten
der **Schlitt|schuh,**
die Schlittschuhe
der **Schlitz,** die Schlitze,
schlitzen
das **Schloss,** die Schlösser
(1. Türschloss,
2. Königsschloss)
der **Schlos|ser,** die Schlosser
der **Schlot,** die Schlote
die **Schlucht,** die Schluchten
schluch|zen,
er schluchzte S. 224
schlu|cken, sie schluckte,
der Schluck
schlum|mern,
sie schlummerte,
der Schlummer
schlüp|fen, sie schlüpfte,
der Schlüpfer

schlür|fen, er schlürfte
der **Schluss,** die Schlüsse
der **Schlüs|sel,** die Schlüssel
schmäch|tig
schmal
das **Schmalz**
schmat|zen,
er schmatzte
schme|cken,
es schmeckte
schmei|cheln,
er schmeichelte,
der Schmeichler,
die Schmeichelei
schmei|ßen, sie schmi~~ss~~,
geschmi~~ss~~en
schmel|zen, es schmilzt,
es schmolz, der Schmelz
der **Schmerz,** die Schmerzen,
schmerzen, schmerzlich,
schmerzhaft, schmerzlos
der **Schmet|ter|ling,**
die Schmetterlinge
schmet|tern,
es schmetterte
der **Schmied,** die Schmiede,
schmieden
schmie|ren,
er schmierte,
die Schmiere, schmierig
die **Schmin|ke,** schminken
der **Schmö|ker,**
die Schmöker,
schmökern

schmo|ren, es schmorte
schmü|cken, sie
schmückte, der Schmuck
schmug|geln,
er schmuggelte,
der Schmuggler
schmun|zeln,
sie schmunzelte S. 224
schmu|sen, er schmuste
der **Schmutz,** schmutzig ➜
Fink
der **Schna|bel,** die Schnäbel
die **Schnal|le,** die Schnallen,
schnallen
schnap|pen,
er schnappte
der **Schnaps,** die Schnäpse
schnar|chen,
sie schnarchte
schnat|tern,
er schnatterte
schnau|ben,
er schnaubte
schnau|fen, er schnaufte
die **Schnau|ze,** die Schnau-
zen, schnauzen, schnäu-
zen, er schnäuzte sich
die **Schne|cke,**
die Schnecken
der **Schnee,** der Schneeball
schnei|den, er schni<u>tt</u>,
die Schneide, der Schnei-
der, die Schneiderin
Eine abge<u>schnitt</u>ene Scheibe
Brot S. 229 heißt <u>Schnitte</u>.

Die <u>aufge</u><u>schnitt</u>ene Fleisch-
ware nennen wir <u>Aufschnitt</u>.
schnei|en, es schneite
schnell, am schnellsten,
die Schnelligkeit
der **Schnip|sel,** die Schnipsel
der **Schnitt,** die Schnitte
die **Schnit|te,** die Schnitten
➜ schneiden
der **Schnitt|lauch**
das **Schnit|zel,** die Schnitzel,
die Schnitzeljagd
schnit|zen, er schnitzte
der **Schnor|chel,**
die Schnorchel
schnüf|feln,
sie schnüffelte
der **Schnup|fen**
schnup|pern,
er schnupperte
die **Schnur,** die Schnüre,
schnüren, schnurgerade,
der Schnürsenkel
der **Schnurr|bart,**
die Schnurrbärte
schnur|ren, er schnurrte
der **Schock**
die **Scho|ko|la|de,**
die Schokoladen
die **Schol|le,** die Schollen
(1. Erdscholle,
2. Plattfisch)
schon
schön, die Schönheit
scho|nen, er schonte, die

Schonung, die Schonzeit
„Schonen" heißt: schön behandeln.

schöp|fen, er schöpfte,
der Schöpfer, die Schöpfung, das Geschöpf

der **Schorn|stein,**
die Schornsteine,
der Schornsteinfeger

der **Schoß,** die Schöße

der **Schot|ter**

schräg, die Schräge

die **Schram|me,** die Schrammen, schrammen

der **Schrank,** die Schränke

die **Schran|ke,**
die Schranken

die **Schrau|be,** die Schrauben, schrauben

der **Schreck** oder: der
Schrecken, erschrecken,
schrecklich

der **Schrei,** die Schreie,
schreien

schrei|ben, er schrieb,
die Schrift, der Schreibtisch

schrei|en, er schrie,
geschrien, der Schrei

der **Schrei|ner*** (Tischler),
die Schreiner S. 231
Der Geld- und Kleiderkasten
unserer Vorfahren hieß
„Schrein".
Der Schreiner schreinerte den
Schrein. ➔ Tischler

schrei|ten, er schritt
S. 222, der Schritt

die **Schrift,** die Schriften,
der Schriftsteller,
schriftlich

schrill

der **Schritt,** die Schritte

schroff

der **Schrott,** verschrotten

schrub|ben, er schrubbte, der Schrubber

schrump|fen,
er schrumpfte

der **Schub,** die Schübe,
die Schubkarre (Schiebekarre), die Schublade
(Schiebelade), schubsen,
der Schubs

schüch|tern,
die Schüchternheit

der **Schuft,** die Schufte

schuf|ten, sie schuftete
S. 225

der **Schuh,** die Schuhe,
der Schuhmacher

die **Schuld,** die Schulden,
ich habe Schuld, ich bin
schuld, schuldig

die **Schu|le,** die Schulen,
der Schüler, schulfrei
S. 210

die **Schul|ter,** die Schultern

schum|meln,
er schummelte

der **Schund**
die **Schup|pe,** die Schuppen
der **Schup|pen,** die Schuppen
der **Schur|ke,** die Schurken
die **Schür|ze,** die Schürzen
der **Schuss,** die Schüsse
die **Schüs|sel,** die Schüsseln
der **Schus|ter,** die Schuster
der **Schutt**
   schüt|teln, sie schüttelte
   schüt|ten, es schüttete
   schüt|zen, sie schützte,
   der Schutz
   schwach, die Schwäche
der **Schwanz,** die Schwänze
   schwän|zen,
   er schwänzte
der **Schwarm,** die
   Schwärme, schwärmen
   schwarz,
   der/die Schwarze,
   die Schwarzen
   schwat|zen, er schwatzte
   S. 223, schwätzen,
   der Schwätzer
   schwe|ben, sie schwebte
   Schwe|den, der
   Schwede, schwedisch
der **Schwe|fel**
   schwei|gen, er schwieg,
   das Schweigen
das **Schwein,** die Schweine,
   die Schweinerei
der **Schweiß**

schwei|ßen, er schweiß-
te, der Schweißer
die **Schweiz,** der Schweizer,
schweizerisch
die **Schwel|le,** die Schwellen
   schwel|len, es schwoll
   schwen|ken,
   er schwenkte
   schwer, schwerhörig,
   schwerfällig
das **Schwert,** die Schwerter
die **Schwes|ter,**
   die Schwestern
die **Schwie|ger|mut|ter,**
   die Schwiegermütter
   schwie|rig,
   die Schwierigkeit
   schwim|men,
   er schwamm,
   geschwommen,
   das Schwimmbad,
   der Schwimmer
   schwind(e)|lig, der
   Schwindel, schwindelfrei
   schwin|deln, sie schwin-
delte, der Schwindel,
der Schwindler
   schwin|gen, er schwang,
geschwungen,
die Schwinge
   schwir|ren, es schwirrte
   schwit|zen, du schwitzt,
er schwitzte
   schwö|ren, er schwor

schwül, die Schwüle
der **Schwung,** die Schwünge
der **Schwur,** die Schwüre
sechs, sech|zehn,
sechzig, sechsmal,
ein Sechstel
der **See** (im Land), die Seen
die **See** (das Meer), seekrank
die **See|le,** die Seelen

Unsere germanischen Vorfah-
ren glaubten, die Seelen der
Ungeborenen und Toten wohn-
ten im Wasser. Darum steckt
das Wort „See" in „Seele".

das **Se|gel,** die Segel, segeln
seg|nen, er segnete,
der Segen
se|hen, sie sieht, sie sah,
sieh! S. 222; aber: ➤ sie_

Die Lehrerin auf dem Pausen-
hof hat Aufsicht. Klaus ist nicht
vorsichtig. Er übersieht ein
Hindernis und stolpert. Die
Lehrerin hat alles angesehen.
Nach ihrer Ansicht ist Klaus
selbst schuld.

die **Seh|ne,** die Sehnen
sich **seh|nen,** er sehnte sich,
die Sehnsucht
sehr, sehr gut
seicht
ihr **seid,** aber: ➤ sei_t gestern
die **Sei|de,** die Seiden,
ein seidenes Kleid
die **Sei|fe,** die Seifen
das **Seil,** die Seile
sein, ich habe sein Heft
sein, gesund sein

seit gestern, seitdem;
aber: ihr ➤ sei_d
die **Sei|te,** die Seiten,
beseitigen; aber: ➤ Sa_ite
die **Se|kre|tä|rin,**
die Sekretärinnen,
der Sekretär,
das Sekretariat
der **Sekt**
die **Sek|te,** die Sekten
die **Se|kun|de,** die Sekunden
sel|ber
selbst, selbstverständ-
lich, die Selbstbedienung
**selb|stän|dig/selbst-
stän|dig**
se|lig, die Seligkeit
der **Sel|le|rie**
sel|ten, die Seltenheit
selt|sam
das **Se|mi|ko|lon,**
die Semikolons
die **Sem|mel*** (Brötchen)
der **Se|nat,** der Senator,
die Senatorin
sen|den, er san_dte,
gesan_dt, die Sendung,
der Sender
der **Senf**
sen|ken, sie senkte
senk|recht ➤ recht
der **Senn,** die Sennerin
die **Sen|sa|ti|on,** die Sensa-
tionen, sensationell

die **Sen|se,** die Sensen

der **Sep|tem|ber** ➜ Oktober
Bei den alten Römern war dies
der siebte Monat des Jahres.
„Sieben" hieß „septem".

die **Se|rie,** die Serien

die **Ser|pen|tine,**
die Serpentinen
Römer nannten eine Schlange
„serpens".

der **Ses|sel,** die Sessel
set|zen, sie setzte S. 228

die **Seu|che,** die Seuchen,
verseucht
seuf|zen, er seufzte
sich

die **Si|chel,** die Sicheln
si|cher, sicherlich,
sichern, die Sicherheit,
die Sicherung

die **Sicht,** sichtbar, kurz-
sichtig, besichtigen,
die Besichtigung ➜ sehen
sie ist schön; aber: sieh
mal an! ➜ sehen

das **Sieb,** die Siebe, sieben
sie|ben, siebzehn,
siebzig, siebenmal
sie|den, es siedete,
siedend heiß, gesotten,
der Siedepunkt

die **Sied|lung,**
die Siedlungen, siedeln,
der Siedler

der **Sieg,** die Siege,

der Sieger, siegen,
sie siegt, siegreich

das **Sie|gel,** die Siegel
„Sigillum" (lateinisch) hieß:
der Abdruck des Siegelrings.

das **Sig|nal,** die Signale

die **Sil|be,** die Silben

das **Sil|ber,** silbern, silbrig

der/das **Si|lo,** die Silos

das/der **Sil|ves|ter**
Die Katholiken verehren am
letzten Tag des Jahres ihren
Heiligen Silvester.

wir **sind** froh
sin|gen, sie singt,
sie sang, gesungen

der **Sin|gu|lar** S. 237
sin|ken, sie sinkt,
sie sank, gesunken

der **Sinn,** die Sinne, es hat
keinen Sinn, sinnlos

die **Sint|flut**
Bei den Germanen hieß „sin":
gewaltig.

die **Si|re|ne,** die Sirenen

der **Si|rup**

die **Sit|te,** die Sitten

die **Si|tu|a|ti|on,**
die Situationen
sit|zen, sie sitzt, sie saß,
gesessen, der Sitz,
die Sitzung, der Vor-
sitzende S. 228 ➜ besitzen

die **Ska|la,** die Skalen oder:
die Skalas

der **Skan|dal,** die Skandale

der **Skat**

das **Ske|lett,** die Skelette

der **Ski** (auch: der S<u>chi</u>),
 die Skier

die **Skiz|ze,** die Skizzen

der **Skla|ve,** die Sklaven
 so, sobald

die **So|cke** oder: der Socken,
 die Socken

der **So|ckel,** die Sockel
 so|dass, auch: so dass
 so|eben

das **So|fa,** die Sofas
 so|fort
 so|gar
 so ge|nannt; kurz: sog.
 so|gleich

die **Soh|le,** die Sohlen, aber:
 ➜ S<u>o</u>le

der **Sohn,** die Söhne
 so|lan|ge
 so|lar, die Solarenergie,
 die Solaranlage
 solch, solche

der **Sold,** die Besoldung

der **Sol|dat,** die Soldaten
 sol|len, sie sollte

der **Som|mer,** die Sommer,
 sommerlich
 son|der|bar
 son|dern

der **Sonn|abend*** (Samstag),
 die Sonnabende, sonn-
 abends, am Sonnabend

die **Son|ne,** die Sonnen,
 sich sonnen, sonnig

die **Son|nen|blu|me,**
 die Sonnenblumen

der **Sonn|tag,** die Sonntage,
 am Sonntag, sonntags
 Die Römer sagten „dies solis":
 Tag der Sonne. Die Germanen
 übersetzten das in ihre
 Sprache: sunnuntag.

 sonst

der **So|pran,** die Soprane

die **Sor|ge,** die Sorgen
 sor|gen, er sorgte

die **Sorg|falt,** sorgfältig

die **Sor|te,** die Sorten,
 sortieren

die **So|ße** (auch: die S<u>au</u>ce),
 die Soßen
 so|viel ich weiß, …
 so viel Geld
 so|wie
 so|wohl
 so|zi|al

der **Spach|tel,** die Spachtel

die **Spa|get|ti/Spa|ghet|ti**
 spä|hen, sie spähte,
 der Späher
 spal|ten, er spaltete,
 der Spalt, die Spalte

der **Span,** die Späne

die **Span|ge,** die Spangen

der **Spa|ni|el,** die Spaniels
 Spa|ni|en, der Spanier,
 spanisch

span|nen, sie spannte,
ich bin gespannt
span|nend,
die Spannung
spa|ren, sie sparte,
der Sparer, das Sparbuch,
die Sparkasse, die Spar-
samkeit, sparsam
der **Spar|gel,** die Spargel
der **Spaß,** die Späße, spaßen
spät
der **Spa|ten,** die Spaten
der **Spatz,** die Spatzen
spa|zie|ren gehen,
er ging spazieren S. 222,
der Spaziergang
der **Specht,** die Spechte
der **Speck,** speckig
der **Speer,** die Speere
die **Spei|che,** die Speichen
der **Spei|chel**
der **Spei|cher,** die Speicher,
speichern
die **Spei|se,** die Speisen,
speisen, sie speiste S. 224
spen|den, er spendete
S. 225, die Spende
der **Speng|ler*** (Klempner)
S. 230
der **Sper|ling,** die Sperlinge
sper|ren, er sperrte,
die Sperre, sperrig
der **Spe|zi|a|list,**
die Spezialisten,

die Spezialität, speziell
der **Spie|gel,** die Spiegel,
spiegeln
spie|len, er spielte,
das Spiel, der Spieler
der **Spieß,** die Spieße
der **Spi|nat**
spin|nen, sie spann,
gesponnen, die Spinne
der **Spi|on,** die Spione,
spionieren
die **Spi|ra|le,** die Spiralen
spitz, die Spitze
der **Split|ter,** die Splitter,
splittern
der **Sport,** der Sportler,
sportlich, die Sportschau
spot|ten, er spottete,
der Spott, der Spötter
die **Spra|che,** die Sprachen,
sprachlich, sprachlos
S. 228
spre|chen, sie spricht,
sie sprach, gesprochen
S. 223, 228
spren|gen, sie sprengte
das **Sprich|wort,**
die Sprichwörter S. 228
sprie|ßen, es spross,
gesprossen
sprin|gen, er sprang,
gesprungen S. 222,
der Springer
der **Sprit**

sprit|zen, sie spritzte,
die Spritze, der Spritzer
die **Spros|se,** die Sprossen
der **Spruch,** die Sprüche
S. 228
spru|deln, es sprudelte,
der Sprudel
sprü|hen, es sprühte
der **Sprung,** die Sprünge
spu|cken, sie spuckte,
die Spucke
der **Spuk,** spuken, es spukte
die **Spu|le,** die Spulen,
spulen
spü|len, sie spülte,
die Spülung
die **Spur,** die Spuren, spuren,
spurlos
spü|ren, er spürte
der **Spurt,** die Spurts, spurten
der **Staat,** die Staaten,
staatlich
der **Stab,** die Stäbe
sta|bil
der **Sta|chel,** die Stacheln,
stach(e)lig
das **Sta|di|on,** die Stadien
die **Stadt,** die Städte,
städtisch; aber: → Statt
die **Staf|fel,** die Staffeln
der **Stahl,** die Stähle,
stählern
der **Stall,** die Ställe
der **Stamm,** die Stämme

Der Kerl ist <u>stämm</u>ig wie ein
Baum<u>stamm</u>.
stam|meln, er stammelte
stampf|fen, sie stampfte,
der Stampfer
der **Stand,** die Stände,
der Ständer
stän|dig
die **Stan|ge,** die Stangen
der **Stän|gel,** die Stängel
stän|kern, er stänkerte
der **Sta|pel,** die Stapel,
stapeln
stap|fen, er stapfte
der **Star** (Vogel), die Stare
der **Star** (Augenkrankheit)
der **Star,** die Stars
Berühmte Filmschauspieler
nennt man Stars. „Star"
(englisch) heißt: Stern.
stark, die Stärke, stärken
starr, die Starrheit
star|ren, er starrte
der **Start,** die Starts, starten
die **Sta|ti|on,** die Stationen
die **Statt** (veraltet), heute:
die Stätte; aber: → Sta<u>dt</u>;
stattdessen, anstatt,
stattfinden
Statt bedeutete: „Ort und
Stelle". Beispiel: Werk<u>statt</u>
der **Stau,** die Staus
der **Staub,** es staubte,
staubig, der Staubsauger
die **Stau|de,** die Stauden
stau|en, er staute

stau|nen, sie staunte
ste|chen, sie sticht,
sie stach, gestochen
ste|cken, er steckte,
der Stecker
der **Steg,** die Stege
ste|hen, er stand
steh|len, sie stiehlt,
sie stahl, gestohlen
steif
stei|gen, sie stieg,
die Steigung
stei|gern, er steigerte
steil
der **Stein,** die Steine, steinig
stel|len, er stellte,
die Stelle, die Stellung,
vorstellen
Wer sich in Gedanken etwas
<u>vor</u> sein „inneres Auge" stellt,
hat eine <u>Vor</u>stellung.
die **Stel|ze,** die Stelzen
stem|men, er stemmte
der **Stem|pel,** die Stempel,
stempeln
die **Ste|no|gra|fie**
die **Stepp|de|cke,**
die Steppdecken
die **Step|pe,** die Steppen
ster|ben, sie stirbt,
sie starb, gestorben
ste|reo hören,
die Stereoanlage
der **Stern,** die Sterne
stets, stetig

die **Steu|er** (Abgabe),
die Steuern
das **Steu|er** (zum Lenken),
die Steuer, steuern
der **Stich,** die Stiche, das
Stichwort, im Stich
lassen
Wer einen anderen im Kampf
allein ließ, sodass ihn die Stiche
der Feinde treffen konnten, der
ließ ihn „im Stich".

sti|cken, sie stickte
sti|ckig
der **Stie|fel,** die Stiefel
die **Stief|el|tern**
der **Stiel,** die Stiele
der **Stier,** die Stiere
der **Stift,** die Stifte
stif|ten, er stiftete,
der Stifter, die Stiftung
still, in der Stille
die **Stim|me,** die Stimmen
stim|men, es stimmte
die **Stim|mung,**
die Stimmungen
stin|ken, es stank,
gestunken
die **Stirn,** die Stirnen
stö|bern, er stöberte
sto|chern, er stocherte
der **Stock,** die Stöcke
sto|cken, sie stockte
das **Stock|werk,** die Stock-
werke, dreistöckig
der **Stoff,** die Stoffe

stöh|nen, er stöhnte
der **Stol|len,** die Stollen
stol|pern, er stolperte
stolz sein, der Stolz
stol|zie|ren, er stolzierte
Der stolze Christian stolziert
wie auf Stelzen einher.
stop|fen, er stopfte
der **Stop|fen,** die Stopfen
Er verstopft die Flasche.
die **Stop|pel,** die Stoppeln
stop|pen, er stoppte,
der Stopp, die Stoppuhr
der **Stöp|sel,** die Stöpsel
der **Storch,** die Störche
stö|ren, sie störte,
die Störung
stör|risch
sto|ßen, sie stößt,
sie stieß, der Stoß
stot|tern, er stotterte,
der Stotterer
stra|fen, sie strafte,
die Strafe, strafbar
der **Strahl,** die Strahlen,
strahlen, die Strahlung
die **Sträh|ne,** die Strähnen,
strähnig
stramm
stram|peln,
er strampelte
der **Strand,** die Strände,
stranden
der **Strang,** die Stränge
die **Stra|pa|ze,** die Strapazen

„Strapazzare" (italienisch)
heißt: überanstrengen.
die **Stra|ße,** die Straßen
Die Germanen übernahmen
das Römerwort strata.
sich **sträu|ben,** er sträubte
sich
der **Strauch,** die Sträucher
der **Strauß,** die Sträuße
stre|ben, sie strebte,
die Strebe, der Streber
stre|cken, er streckte,
die Strecke
der **Streich,** die Streiche
strei|cheln, sie streichelte
strei|chen, sie strich,
der Strich
das **Streich|holz,**
die Streichhölzer
strei|fen, er streifte,
die Streife
der **Strei|fen,** die Streifen,
gestreift
der **Streik,** die Streiks,
streiken
der **Streit,** die Streiterei
strei|ten, sie stritt
streng, die Strenge
der **Stress,** stressig
streu|en, sie streute,
die Streu, die Streusel
der **Strich,** die Striche
der **Strick,** die Stricke,
stricken
das **Stroh,** der Strohhalm

A
B
C
D
E
F
G
H
I
J
K
L
M
N
O
P
Q
R
S
T
U
V
W
X
Y
Z

der **Strolch,** die Strolche
der **Strom,** die Ströme,
   die Strömung, strömen
die **Stro|phe,** die Strophen
   strot|zen, er strotzte
   strub|be|lig, strubblig
der **Stru|del,** die Strudel
der **Strumpf,** die Strümpfe
   strup|pig
die **Stu|be,** die Stuben
das **Stück,** die Stücke,
   stückeln
   stu|die|ren, er studierte,
   der Student,
   das Studium
die **Stu|fe,** die Stufen
der **Stuhl,** die Stühle
die **Stul|le*** (Scheibe Brot)
   stül|pen, er stülpte
   stumm
der **Stüm|per,** die Stümper
   stumpf, der Stumpfsinn
der **Stumpf,** die Stümpfe
die **Stun|de,** die Stunden,
   die Viertelstunde, der
   Stundenplan, stündlich
   stur, die Sturheit
der **Sturm,** die Stürme,
   stürmen, der Stürmer,
   stürmisch
   stür|zen, er stürzt,
   er stürzte, der Sturz
die **Stu|te,** die Stuten

   stut|zen, er stutzte,
   stutzig
   stüt|zen, sie stützte,
   die Stütze
das **Sub|jekt,** die Subjekte
das **Sub|stan|tiv,**
   die Substantive S. 237
   sub|tra|hie|ren,
   sie subtrahierte
   su|chen, sie suchte,
   die Suche
die **Sucht,** die Süchte,
   süchtig
der **Sü|den,** südlich
die **Süh|ne,** sühnen
die **Sum|me,** die Summen
   sum|men, sie summte
der **Sumpf,** die Sümpfe,
   sumpfig
die **Sün|de,** die Sünden,
   der Sünder, sündigen
das **Su|per**(-benzin)
der **Su|per|markt,**
   die Supermärkte
die **Sup|pe,** die Suppen
   sur|ren, es surrte
   süß, süßen, die Süße,
   die Süßigkeit
das **Sym|bol,** die Symbole
die **Sym|pa|thie,** die Sympa-
   thien, sympathisch
das **Sys|tem,** die Systeme
die **Sze|ne,** die Szenen

T t

der **Ta|bak**
die **Ta|bel|le,** die Tabellen
das **Ta|blett,** die Tabletts
die **Ta|blet|te,** die Tabletten
der **Ta|cho** (eigentlich:
   Tachometer), die Tachos
der **Ta|del,** die Tadel, tadeln,
   tadellos
die **Ta|fel,** die Tafeln
der **Tag,** die Tage, täglich,
   tagelang, tagsüber
der **Takt,** die Takte, taktlos
das **Tal,** die Täler
das **Ta|lent,** die Talente
der **Talg**
der **Ta|lis|man,** die Talismane
der **Tank,** die Tanks
   tan|ken, er tankte,
   die Tankstelle,
   der Tanker
die **Tan|ne,** die Tannen
die **Tan|te,** die Tanten
der **Tanz,** die Tänze,
   der Tänzer, tanzen
die **Ta|pe|te,** die Tapeten,
   tapezieren
   tap|fer, die Tapferkeit
   tar|nen, er tarnte,
   die Tarnung
die **Ta|sche,** die Taschen
die **Tas|se,** die Tassen

die **Tas|te,** die Tasten, tasten
die **Tat,** die Taten, der Täter,
   die Tätigkeit
die **Tat|sa|che,**
   die Tatsachen,
   tatsächlich
der **Tau** (auf der Wiese)
das **Tau** (starkes Seil),
   die Taue, das Tauziehen
   taub, taubstumm
die **Tau|be,** die Tauben
   tau|chen, sie tauchte,
   der Taucher
   tau|en, es taute
die **Tau|fe,** die Taufen, taufen
   tau|gen, es taugte nichts
   tau|meln, er taumelte
   tau|schen, sie tauschte,
   der Tausch
   täu|schen, er täuschte
Wer einen anderen beim
Tauschgeschäft hereinzulegen
versuchte, täuschte ihn.
   tau|send
die **Ta|xe** oder: das Taxi,
   die Taxen
   Te... (siehe auch bei
   The...)
die **Tech|nik,** die Techniken,
   der Techniker, technisch
der **Ted|dy|bär,**
   die Teddybären
der **Tee,** die Tees
der **Teer,** teeren
der **Teich,** die Teiche

der **Teig,** die Teige
der/das **Teil,** die Teile, teilen,
    die Teilung
    Im Eisenbahnwagen werden
    Teile des Innenraums abgeteilt:
    Es sind Abteile.
    teil|neh|men, er nahm
    teil S. 227, der Teil-
    nehmer, die Teilnahme
    teil|wei|se
das **Te|le|fon,** die Telefone,
    telefonieren, telefonisch
    **te|le|gra|fie|ren/te|le-
    gra|phie|ren,** das Tele-
    gramm
der **Tel|ler,** die Teller
der **Tem|pel,** die Tempel
das **Tem|pe|ra|ment,**
    die Temperamente
die **Tem|pe|ra|tur,**
    die Temperaturen
das **Tem|po,** die Tempos
    oder: die Tempi
das **Ten|nis**
der **Tep|pich,** die Teppiche
der **Ter|min,** die Termine
die **Ter|ras|se,** die Terrassen
der **Ter|ror,** der Terrorist
der **Test,** die Tests oder:
    die Teste, testen
das **Tes|ta|ment,**
    die Testamente
    teu|er, noch teurer
der **Teu|fel,** die Teufel,
    teuflisch

der **Text,** die Texte
die **Tex|ti|li|en**
das **The|a|ter,** die Theater
die **The|ke,** die Theken
das **The|ma,** die Themen
    oder: die Themata
die **The|o|lo|gie**
die **The|o|rie,** die Theorien,
    theoretisch
das **Ther|mo|me|ter,**
    die Thermometer
die **Ther|mos|fla|sche,**
    die Thermosflaschen
der **Thron,** die Throne
    Thü|rin|gen,
    der Thüringer, thüringisch
    ti|cken, es tickte
    tief, die Tiefe
das **Tier,** die Tiere
der **Ti|ger,** die Tiger
die **Tin|te,** die Tinten
der **Tipp,** die Tipps, tippen
der **Tisch,** die Tische
der **Tisch|ler,** die Tischler
    S. 231
    Ursprüngliche Bedeutung:
    Tischmacher. → Schreiner
der **Ti|tel,** die Titel
    to|ben, sie tobte
die **Toch|ter,** die Töchter
der **Tod,** tödlich, todkrank,
    todmüde
    (Achtung: Sieh auch
    unter **tot** nach!)
die **Toi|let|te,** die Toiletten

toll, die Tollwut
tol|len, er tollte
der **Toll|patsch,** die Toll-
patsche, tollpatschig
die **To|ma|te,** die Tomaten
die **Tom|bo|la,** die Tombolas
der **Ton,** die Töne
der **Ton** (Bodenart)
die **Ton|ne,** die Tonnen
der **Topf,** die Töpfe
das **Tor,** die Tore, der Torwart
der **Tor** (Narr), die Toren,
töricht
der **Torf**
tor|keln, er torkelte
der **Tor|nis|ter,** die Tornister
die **Tor|te,** die Torten
tot, der Tote, töten,
totenstill, totlachen
das/der **To|to**
der **Tou|rist,** die Touristen
tra|ben, er trabte,
der Trab
die **Tracht,** die Trachten S. 228
der **Tra|fo** (eigentlich: Trans-
formator), die Trafos
trä|ge, die Trägheit
tra|gen, sie trägt,
sie trug, der Träger S. 228
trai|nie|ren, er trainierte,
der Trainer, das Training
der **Trak|tor,**
die Traktoren ➔ Trecker
tram|peln, sie trampelte

die **Trä|ne,** die Tränen,
die Augen tränen
der **Tran|sis|tor,**
die Transistoren
das **Trans|pa|rent,**
die Transparente
der **Trans|port,** die Trans-
porte, transportieren
die **Trau|be,** die Trauben
trau|en, sie traute mir,
die Trauung
trau|ern, er trauerte,
die Trauer, traurig
die **Trau|fe,** die Traufen
der **Traum,** die Träume,
träumen
die **Trau|ung,** die Trauungen
der **Tre|cker,** die Trecker
„Trecken" heißt so viel wie
„ziehen". Die Männer, die
früher die Schiffe flussaufwärts
zogen, hießen „Trecker", also
„Zieher".

tref|fen, sie trifft, sie tra_f_,
getroffen, der Treffer
trei|ben, sie trieb
tren|nen, er trennte,
die Trennung
die **Trep|pe,** die Treppen
der **Tre|sor,** die Tresore
tre|ten, sie tri_tt_, sie trat,
tri_tt_!, der Tri_tt_
Wer <u>auf</u> die Bühne <u>tritt</u>, hat
dort seinen <u>Auftritt</u>.

treu, die Treue, treulos
die **Tri|bü|ne,** die Tribünen

A
B
C
D
E
F
G
H
I
J
K
L
M
N
O
P
Q
R
S
T
U
V
W
X
Y
Z

der **Trich|ter,** die Trichter
der **Trick,** die Tricks
der **Trieb,** die Triebe
das **Tri|kot,** die Trikots
    tril|lern, er trillerte
    trin|ken, sie trinkt,
    sie trank, getrunken
der **Tritt,** die Tritte ➔ treten
der **Tri|umph,** die Triumphe
    tro|cken, die Trockenheit
    trock|nen, sie trocknete
der **Trö|del,** trödeln
die **Trom|mel,** die Trommeln
die **Trom|pe|te,**
    die Trompeten
    trop|fen, es tropfte
der **Trop|fen,** die Tropfen
der **Trost,** trösten, trostlos
der **Trot|tel,** die Trottel
    trotz des Regens,
    trotzdem
der **Trotz,** zum Trotz
    trot|zen, sie trotzte,
    trotzig
    trüb, trübe, betrübt
die **Tru|he,** die Truhen
die **Trüm|mer**
der **Trumpf,** die Trümpfe
der **Trupp,** die Trupps
die **Trup|pe,** die Truppen
    tschau!
    Italienischer Gruß für Auf
    Wiedersehen. Italienische
    Schreibweise: ciao.
das **T-Shirt,** die T-Shirts

die **Tu|be,** die Tuben
das **Tuch,** die Tücher
    tüch|tig, die Tüchtigkeit
die **Tü|cke,** die Tücken,
    tückisch
der **Tüm|pel,** die Tümpel
der **Tu|mult,** die Tumulte
    tun, er tat, getan
    tun|ken, er tunkte
der **Tun|nel,** die Tunnel
    oder: die Tunnels
    tup|fen, sie tupfte,
    der Tupfer
die **Tür,** die Türen
die **Tur|bi|ne,** die Turbinen
die **Tür|kei,** der Türke,
    türkisch
der **Turm,** die Türme
    tur|nen, sie turnte,
    der Turner
die **Tu|sche,** die Tuschen
    tu|scheln, er tuschelte
die **Tü|te,** die Tüten
der **Typ,** die Typen, typisch

U u

die **U-Bahn** (Untergrund-
bahn), die U-Bahnen
ü|bel, das Übel, die
Übelkeit, der Übeltäter
ü|ben, sie übte,
die Übung
ü|ber
ü|ber|all
ü|ber|ein|an|der
ü|ber|fal|len, der Überfall
der **Ü|ber|fluss,** überflüssig
ü|ber|haupt
ü|ber|le|gen,
die Überlegung
ü|ber|le|gen sein ➡ legen
ü|ber|mit|teln,
er übermittelte S. 225
ü|ber|mor|gen
der **Ü|ber|mut,** übermütig
ü|ber|nach|ten,
sie übernachtete,
die Übernachtung
ü|ber|que|ren,
sie überquerte
ü|ber|ra|schen,
er überraschte,
die Überraschung
ü|ber|re|den,
die Überredung
ü|ber|schwem|men,
es überschwemmte,

die Überschwemmung
ü|ber|set|zen,
die Übersetzung S. 228
die **Ü|ber|sicht,**
die Übersichten ➡ sehen
ü|ber|wei|sen, er über-
wies, die Überweisung
ü|ber|zeu|gen, sie über-
zeugte, die Überzeugung
üb|lich
das **U-Boot** (Unterseeboot),
die U-Boote
üb|rig
üb|ri|gens
die **Ü|bung,** die Übungen
das **U|fer,** die Ufer
die **Uhr,** die Uhren
der **U|hu,** die Uhus
Ukw (Ultrakurzwelle)
der **Ulk,** ulkig
um
um|ar|men, sie umarmte
um|dre|hen,
die Umdrehung
um|fan|gen, der Umfang
Der Umfang eines Baum-
stammes ist das, was man
umfangen (umfassen) kann.
um|ge|ben,
die Umgebung
um|hän|gen,
der Umhang
um|her
um|keh|ren, er kehrte
um, die Umkehr

der **Um|laut,** die Umlaute
um|lei|ten,
die Umleitung
der **Um|riss,** die Umrisse
der **Um|schlag,**
die Umschläge
um|so besser!
um|sonst
der **Um|stand,** die Um-
stände, umständlich
der **Um|weg,** die Umwege
die **Um|welt,** die Umwelt-
verschmutzung
um|zie|hen, der Umzug
un|aus|steh|lich
un|be|dingt
und
un|end|lich,
die Unendlichkeit
un|ent|schie|den
un|fair
der **Un|fall,** die Unfälle
der **Un|fug**
Un|garn, der Ungar,
ungarisch
un|ge|fähr
das **Un|ge|heu|er,**
die Ungeheuer
un|ge|nü|gend
un|ge|recht,
die Ungerechtigkeit
un|ge|wiss,
die Ungewissheit
das **Un|ge|zie|fer**

un|ge|zo|gen ➔ ziehen
das **Un|glück,** die Unglücke,
unglücklich
un|gül|tig
die **U|ni|form,**
die Uniformen
die **U|ni|ver|si|tät,**
die Universitäten
das **Un|kraut**
➔ Kraut
das **Un|recht** ➔ Recht
uns, unser, unsere
die **Un|schuld,** unschuldig
der **Un|sinn,** unsinnig
un|ten
un|ter
un|ter|bre|chen S. 226,
die Unterbrechung
un|ter|ein|an|der
die **Un|ter|füh|rung,**
die Unterführungen
un|ter|hal|ten S. 223,
die Unterhaltung
die **Un|ter|kunft,**
die Unterkünfte
un|ter|rich|ten,
der Unterricht
un|ter|schei|den,
der Unterschied
un|ter|stüt|zen,
die Unterstützung
un|ter|su|chen,
die Untersuchung
un|ter|wegs

un|ter|wer|fen,
die Unterwerfung,
unterwürfig
un|ver|schämt
un|ver|ständ|lich
das Un|wet|ter,
die Unwetter
un|zäh|lig
üp|pig
ur|alt
die Ur|groß|el|tern
der U|rin
die Ur|kun|de, die Urkunden
der Ur|laub, die Urlaube
die Ur|sa|che, die Ursachen
der Ur|sprung,
die Ursprünge,
ursprünglich
das Ur|teil, die Urteile,
urteilen
der Ur|wald, die Urwälder
die USA

V v

die Va|nil|le
die Va|se, die Vasen
der Va|ter, die Väter,
väterlich, das Vaterunser
das Veil|chen, die Veilchen
das Ven|til, die Ventile
der Ven|ti|la|tor,
die Ventilatoren
ver|ab|re|den,
die Verabredung
ver|ach|ten,
die Verachtung
die Ve|ran|da, die Veranden
ver|an|stal|ten,
die Veranstaltung
ver|ant|wor|ten,
die Verantwortung
ver|äp|peln* (verspotten)
das Verb, die Verben S. 236
der Ver|band, die Verbände
S. 226
ver|bes|sern, er verbes-
serte, die Verbesserung
ver|beu|gen,
die Verbeugung
ver|bie|ten, das Verbot
ver|bin|den,
die Verbindung,
der Verband S. 226
ver|brau|chen,
der Verbraucher

A
B
C
D
E
F
G
H
I
J
K
L
M
N
O
P
Q
R
S
T
U
V
W
X
Y
Z

das **Ver|bre|chen,**
die Verbrechen S. 226,
der Verbrecher

der **Ver|dacht,** verdächtigen,
verdächtig

ver|dau|en, sie verdaute,
die Verdauung

ver|de|cken, das Verdeck
→ Decke

ver|der|ben, es verdirbt,
es verdarb, verdorben

ver|die|nen, der Ver-
dienst

ver|duns|ten, es verduns-
tete, die Verdunstung

ver|eh|ren, sie verehrte,
die Verehrung

der **Ver|ein,** die Vereine

die **Ver|fas|sung,**
die Verfassungen

ver|fol|gen, er verfolgte,
die Verfolgung

die **Ver|gan|gen|heit**

ver|ge|ben, die Ver-
gebung, vergeblich

ver|ges|sen, sie vergisst,
sie vergaß, vergiss!,
vergesslich

das **Ver|giss|mein|nicht**
Heute sagen wir: „Vergiss <u>mich</u>
nicht!" Früher schenkten
Liebende diese Blume
einander zum Abschied.

ver|glei|chen,
er verglich, der Vergleich

ver|gnü|gen,
das Vergnügen

ver|haf|ten, er ver-
haftete, die Verhaftung

ver|hü|ten, er verhütete,
die Verhütung

ver|kau|fen, der Verkauf,
der Verkäufer

der **Ver|kehr** S. 211, 213

ver|kehrt

ver|klei|den,
er verkleidete sich,
die Verkleidung

ver|lan|gen,
er verlangte

ver|let|zen, sie verletzte,
die Verletzung

ver|lie|ren, er verlor

ver|lo|sen, sie verloste,
die Verlosung

der **Ver|lust,** die Verluste

ver|mis|sen,
sie vermisste

das **Ver|mö|gen,**
die Vermögen

ver|mu|ten, er vermu-
tete, die Vermutung,
vermutlich

ver|nich|ten,
sie vernichtete S. 223,
die Vernichtung

die **Ver|nunft,** vernünftig

ver|pfle|gen,
die Verpflegung

ver|ra|ten, er verriet,
der Verrat, der Verräter
ver|rei|sen, sie verreiste
ver|ren|ken, er ver-
renkte, die Verrenkung
ver|rückt, der Verrückte
der **Vers,** die Verse
ver|säu|men, sie ver-
säumte, das Versäumnis
ver|schie|den
ver|schwen|den,
er verschwendete,
die Verschwendung,
verschwenderisch
ver|schwin|den, sie ver-
schwand, verschwunden
das **Ver|se|hen,** aus Versehen
ver|sen|den, der Versand
ver|set|zen S. 228,
die Versetzung
ver|si|chern, sie versi-
cherte, die Versicherung
ver|söh|nen,
sie versöhnten sich
ver|spä|ten,
er verspätete sich,
die Verspätung
ver|spre|chen S. 228,
das Versprechen
der **Ver|stand,** das Ver-
ständnis, verständlich
ver|stau|chen,
er verstauchte
ver|ste|cken,

das Versteck
ver|ste|hen, er verstand
ver|su|chen, der Ver-
such, die Versuchung
ver|tei|di|gen, er vertei-
digte, die Verteidigung
der **Ver|trag,** die Verträge
ver|tra|gen
ver|trau|en, das Ver-
trauen, vertraulich
ver|tre|ten, der Vertreter,
die Vertretung
ver|un|glü|cken,
sie verunglückte
ver|viel|fäl|ti|gen,
sie vervielfältigte
ver|wal|ten, er ver-
waltete, die Verwaltung
ver|wandt,
der Verwandte,
die Verwandtschaft
ver|wech|seln,
die Verwechslung
ver|wel|ken,
es verwelkte
ver|wen|den,
die Verwendung
ver|wit|tern
Steine zerbröckeln im Laufe
der Jahrhunderte durch das
<u>Wetter</u>: durch die <u>Witter</u>ung.

ver|wöh|nen,
er verwöhnte
ver|wun|den,
die Verwundung

ver|zeich|nen,
das Verzeichnis
ver|zei|hen, er verzieh,
die Verzeihung
ver|zich|ten, der Verzicht
ver|zwei|feln,
die Verzweiflung
die Ves|per, die Vespern S. 229
der Vet|ter, die Vettern
das Vi|de|o, der Videofilm,
das Videogerät,
die Videokassette
das Vieh
viel, aber: ich fiel
viel|leicht
viel|mals
vier, vierzehn, vierzig,
viermal, ein Viertel,
das Viereck
die Vil|la, die Villen
vi|o|lett
die Vi|o|li|ne, die Violinen
das Vi|ta|min, die Vitamine
der Vo|gel, die Vögel,
die Vogelscheuche
der Vo|kal, die Vokale
→ Konsonant
das Volk, die Völker
voll, völlig, vollkommen,
vollständig
vom ersten Tage an
von Anfang an
vor, im Voraus
vor|an

vor|aus|sicht|lich
vor|bei
das Vor|der|rad,
die Vorderräder
die Vor|fahrt S. 227
der Vor|hang, die Vorhänge
vor|her, vorhin
vo|ri|ge Woche
vor|läu|fig
vor|laut

Ein Jagdhund, der vor der rich-
tigen Zeit laut bellt, behindert
die Jagd. Heute nennt man
auch Menschen vorlaut.

der Vor|mit|tag, die Vormit-
tage, heute Vormittag
vorn
vor|nehm
der Vor|rat, die Vorräte

„Rat" nannte man früher auch
die Sachen, die man zum
Leben brauchte. Noch heute
sagen wir: Vorrat, Hausrat.

der Vor|schlag,
die Vorschläge
die Vor|schrift,
die Vorschriften
die Vor|sicht, vorsichtig
vor|stel|len, die Vor-
stellung → stellen
der Vor|teil, die Vorteile
vor|tra|gen, der Vortrag
vor|über, vorübergehend
vor|wärts
vor|wer|fen, der Vorwurf
der Vul|kan, die Vulkane

W w

die **Waa|ge,** die Waagen,
waagerecht
→ „Recht" bedeutete früher
„richtig". Eine Waage steht
richtig, wenn sie wa<u>ge</u>recht
steht.

die **Wa|be,** die Waben
wa|chen, er wachte,
wach, wachsam,
die Wacht

das **Wachs,** die Wachse
wach|sen, er wächst,
er wuchs
wa|ckeln, er wackelte,
wack(e)lig

die **Wa|de,** die Waden
die **Waf|fe,** die Waffen
die **Waf|fel,** die Waffeln
wa|gen, sie wagte
der **Wa|gen,** die Wagen
der **Wag|gon/Wa|gon**
die **Wahl,** die Wahlen
wäh|len, sie wählte
der **Wahn|sinn,** wahnsinnig
wahr, die Wahrheit;
aber: es → w<u>ar</u>
wäh|rend
wahr|schein|lich
die **Wai|se** (Kind ohne
Eltern), die Waisen;
aber: → W<u>ei</u>se
der **Wal,** die Wale

der **Wald,** die Wälder S. 218
der **Wall,** die Wälle
die **Wall|fahrt,**
die Wallfahrten
die **Wal|nuss,** die Walnüsse
die **Wal|ze,** die Walzen,
wälzen, der Walzer
die **Wand,** die Wände
→ winden
wan|dern, er wanderte,
die Wanderung
wann
die **Wan|ne,** die Wannen
die **Wan|ze,** die Wanzen
das **Wap|pen,** die Wappen
es **war** einmal; aber:
→ wahr
was **wä|re,** wenn ...
die **Wa|re,** die Waren
warm, die Wärme
war|nen, die Warnung
du **warst,** ihr **wart**
war|ten, sie wartete
der **Wär|ter,** die Wärter
war|um
die **War|ze,** die Warzen
was ist los?
wa|schen, er wäscht,
er wusch, die Wäsche
das **Was|ser** S. 215
wa|ten, er watete S. 222
die **Wat|sche*** (Ohrfeige)
wat|scheln,
er watschelte

das **Watt**
die **Wat|te**
    we|ben, er webte
    (auch: er wob)
    wech|seln, sie wechselte
der **Weck*,** die **We|cke*,**
    der **We|cken*** (Brötchen)
    we|cken, sie weckte,
    aufwecken, der Wecker
    we|deln, er wedelte
    we|der
geh **weg!,** aber: der → <u>Weg</u>
der **Weg,** die Wege, der
    Wegweiser; aber: → <u>weg</u>
    we|gen
    weg|neh|men
    weh, es tut weh, wehtun
    we|hen, es wehte
    weh|ren, er wehrte sich
das **Weib,** die Weiber
    weich
    wei|chen, er wich
die **Wei|de,** die Weiden
sich **wei|gern,** er weigerte
    sich
das **Weih|nach|ten** oder:
    die Weihnacht,
    der Weihnachtsbaum
der **Weih|rauch**
    weil
die **Wei|le**
der **Wein,** die Weine
    wei|nen, sie weinte S. 224
    wei|se sein, die Weisheit

die **Wei|se,** Art und Weise;
    aber: → W<u>ai</u>se
    wei|sen, sie wies
    weiß
der **Weiß|kä|se*** (Quark)
    weit, die Weite
der **Wei|zen**
    wel|che, welcher
    wel|ken, es welkte, welk
die **Wel|le,** die Wellen
die **Welt,** der Weltraum
    wem gehört das?
    wen liebst du?
    wen|den, sie wendete
    (auch: sie wan<u>dt</u>e sich),
    die Wendung, die
    Wende → winden
    we|nig, wenigstens
    wenn du willst ...
    wer
    wer|ben, er wirbt,
    er warb, geworben,
    die Werbung
    wer|den, es wird,
    es wurde, geworden
    wer|fen, sie wirft,
    sie warf, geworfen
die **Werft,** die Werften
das **Werk,** die Werke,
    werken, die Werkstatt,
    der Werktag, der Werk-
    tätige, das Werkzeug
    S. 209 → Hand → Statt
    „Werk" heißt so viel wie Arbeit.

wert sein, viel wert

der **Wert,** die Werte,
wertvoll

we|sent|lich

wes|halb

die **Wes|pe,** die Wespen

wes|sen

die **Wes|te,** die Westen

der **Wes|ten,** westlich

wes|we|gen

wet|ten, er wettete, die
Wette, der Wettkampf

das **Wet|ter,** der Wetter-
bericht S. 214

Auf das Wetterleuchten folgt
oft ein Gewitter.

wich|tig

wi|ckeln, sie wickelte

wi|der, aber: → wieder;
der Widerhall, wider-
legen, widerlich, wider-
rufen, der Widersacher,
widersprechen,
der Widerspruch S. 228,
widerstehen, der Wider-
stand, der Widerwille,
die Widerworte,
erwidern

„Wider" heißt so viel wie:
gegen. Gegen etwas sprechen
ist „widersprechen".

wid|men, er widmete,
die Widmung

wie

wie|der; aber: → wider

wie|der|ho|len,
die Wiederholung,
das Wiedersehen

„Wieder" heißt so viel wie
„noch einmal": wiedersehen …

auf **Wie|der|se|hen!**
→ wieder

die **Wie|ge,** die Wiegen

wie|gen, sie wog

wie|hern, es wieherte

die **Wie|se,** die Wiesen S. 219

das **Wie|sel,** die Wiesel

wie|so

wie viel, wie viele

wild, die Wildnis

das **Wild**

der **Wil|le,** die Willen

will|kom|men

will|kür|lich

wim|meln, es wimmelte,
das Gewimmel

wim|mern, sie wimmerte
S. 224

der **Wim|pel,** die Wimpel

die **Wim|per,** die Wimpern

der **Wind,** die Winde, windig

die **Win|del,** die Windeln
→ winden

win|den, er wand,
gewunden, die Windung

„Winden" ist mit „wenden"
verwandt. Die Straße windet
sich den Berg hinauf: Sie ist
gewunden wie ein Gewinde. –
Die Wand bestand früher aus
gewundenem Flechtwerk.

der **Win|kel,** die Winkel
win|ken, sie winkte
win|seln, er winselte
der **Win|ter,** die Winter
der **Win|zer,** die Winzer
win|zig
wip|pen, sie wippte,
die Wippe
wir
der **Wir|bel,** die Wirbel,
wirbeln
wir|ken, es wirkte,
die Wirkung
wirk|lich,
die Wirklichkeit
wirr, der Wirrwarr
der **Wirt,** die Wirte,
die Wirtschaft
wi|schen, er wischte,
der Wischer
wis|sen, er weiß,
er wusste, das Wissen
wit|tern, er witterte
die **Wit|te|rung**
die **Wit|we,** die Witwen
der **Witz,** die Witze, witzig
wo
die **Wo|che,** die Wochen,
der Wochentag, wochen-
lang, wöchentlich
wo|für
die **Wo|ge,** die Wogen
wo|her, wohin
wie **wohl** ist mir!,

Zum **Wohl!,** der Wohl-
stand, das Wohlwollen
woh|nen, sie wohnte,
die Wohnung S. 206
der **Wolf,** die Wölfe
die **Wol|ke,** die Wolken,
wolkig, bewölkt
die **Wol|le**
wol|len, sie will,
sie wollte
wo|ran, worauf, woraus
das **Wort,** die Wörter oder:
die Worte, wörtlich
wo|rum, worüber, wovon
das **Wrack,** die Wracks
die **Wucht,** wuchtig
wüh|len, sie wühlte
die **Wun|de,** die Wunden,
wund sein
das **Wun|der,** die Wunder,
wunderbar, wunderschön
sich **wun|dern,**
sie wunderte sich
der **Wunsch,** die Wünsche,
wünschen
der **Wurf,** die Würfe
der **Wür|fel,** die Würfel
wür|gen, er würgte
der **Wurm,** die Würmer
die **Wurst,** die Würste
die **Wür|ze,** würzen, würzig
die **Wur|zel,** die Wurzeln
die **Wüs|te,** die Wüsten
die **Wut,** wüten, wütend

X x

die **X-Bei|ne**, x-beinig

Y y

die **Yacht** (auch: die Jacht),
die Yachten

Z z

die **Za|cke** oder: der Zacken,
die Zacken, gezackt
za|ckern* (pflügen)
zag|haft
zäh, die Zähigkeit
die **Zahl**, die Zahlen
zah|len, sie zahlte,
die Zahlung
zäh|len, er zählte,
der Zähler
zahm, gezähmt
der **Zahn**, die Zähne
die **Zan|ge**, die Zangen
zan|ken, sie zankte,
zänkisch, der Zank
der **Zap|fen**, die Zapfen
zap|peln, sie zappelte
zart, zärtlich,
die Zärtlichkeit

zau|bern, er zauberte,
der Zauberer
der **Zaun**, die Zäune
das **Ze|bra**, die Zebras
die **Ze|cke**, die Zecken
ze|cken* (necken)
die **Ze|he** oder: der Zeh,
die Zehen
zehn, zehnmal,
ein Zehntel
das **Zei|chen**, die Zeichen
zeich|nen, er zeichnete,
der Zeichner,
die Zeichnung
zei|gen, er zeigte,
der Zeiger
die **Zei|le**, die Zeilen
die **Zeit**, die Zeiten, von Zeit
zu Zeit, eine Zeit lang
S. 220
die **Zeit|schrift**,
die Zeitschriften
die **Zei|tung**, die Zeitungen
die **Zel|le**, die Zellen
das **Zelt**, die Zelte
der **Ze|ment**, zementieren
die **Zen|sur**, die Zensuren,
zensieren
der **Zent|ner**, die Zentner
„Centum" (lateinisch) hieß:
hundert.
das **Zen|trum**, die Zentren
der **Zep|pe|lin**, die Zeppeline
Graf Zeppelin flog 1900 sein
erstes Luftschiff.

zer|ren, sie zerrte,
die Zerrung
zer|stö|ren,
er zerstörte S. 223
der **Zet|tel,** die Zettel
das **Zeug**
der **Zeu|ge,** die Zeugen

Er be<u>zeug</u>t vor Gericht, was
geschehen ist. Lässt sich das
Gericht über<u>zeug</u>en?

das **Zeug|nis,** die Zeugnisse
die **Zi|cke*** (Ziege)
im **Zick|zack** laufen
die **Zie|ge,** die Ziegen S. 231
der **Zie|gel,** die Ziegel
zie|hen, er zog S. 228

Eltern <u>zieh</u>en Kinder groß:
Sie er<u>zieh</u>en. Das Wort un-
ge<u>zog</u>en meint eigentlich:
nicht er<u>zog</u>en.

das **Ziel,** die Ziele, zielen
ziem|lich
die **Zier,** sich zieren, zierlich
die **Zif|fer,** die Ziffern
die **Zi|ga|ret|te,**
die Zigaretten
die **Zi|gar|re,** die Zigarren
der **Zi|geu|ner,** die Zigeuner

Die deutschen Zigeuner
nennen sich selber „Sinti" und
„Roma" (das heißt: Menschen).

das **Zim|mer,** die Zimmer
der **Zim|mer|mann,**
die Zimmerleute
zim|per|lich
der **Zimt**
das **Zink**

das **Zinn**
der **Zins,** die Zinsen
der **Zip|fel,** die Zipfel
der **Zir|kel,** die Zirkel

„Circulus" (lateinisch) hieß:
Kreis.

der **Zir|kus,** die Zirkusse
zir|pen, es zirpte
zi|schen, es zischte
die **Zi|tro|ne,** die Zitronen
zit|tern, er zitterte
die **Zit|ze,** die Zitzen
zi|vil, der Zivilist
zö|gern, sie zögerte
der **Zoll,** die Zölle,
der Zöllner, verzollen
die **Zo|ne,** die Zonen
der **Zoo,** die Zoos
der **Zopf,** die Zöpfe
der **Zorn,** zornig
zu
das **Zu|be|hör**
der **Zu|ber*** (großes Gefäß)
die **Zucht,** züchten,
die Züchtung
zu|cken, es zuckte
der **Zu|cker,** zuckern
zu|de|cken ➔ Decke
zu|ein|an|der
zu|erst
der **Zu|fall,** die Zufälle,
zufällig
zu|frie|den,
die Zufriedenheit
der **Zug,** die Züge

der **Zü|gel,** die Zügel S. 228
Ein Riemen, um <u>Zug</u> auf das
Pferdemaul auszuüben.
zu|gleich
zu Hau|se sein
der **Zu|hö|rer,** die Zuhörer
die **Zu|kunft**
zu|letzt
zum (<u>zu</u> de<u>m</u> Haus)
zu|nächst
zün|den, sie zündete,
die Zündung
zu|neh|men,
die Zunahme
die **Zun|ge,** die Zungen
zup|fen, er zupfte
zur Vorsicht
zu|rück ➜ Rücken
zu|rück|kom|men
zu|sam|men
zu|sam|men|sto|ßen,
der Zusammenstoß
zu|schau|en,
der Zuschauer
der **Zu|stand,** die Zustände
zu|trau|lich
zu|ver|läs|sig
zu|ver|sicht|lich
zu viel, zu viele
zu we|nig, zu wenige
zu|wi|der ➜ wider
der **Zwang,** die Zwänge
zwan|zig
zwar

der **Zweck,** die Zwecke,
zwecklos
zwei, zweihundert,
zweimal
der **Zwei|fel,** die Zweifel,
zweifeln
der **Zweig,** die Zweige
der **Zwerg,** die Zwerge
die **Zwet|sche*,** die
Zwetsch|ge* (Pflaume)
zwi|cken, du zwickst, er
zwickte, die Zwickmühle
der **Zwie|back,**
die Zwiebäcke
<u>Zwie</u>back ist „<u>zwei</u>mal
gebacken".
die **Zwie|bel,** die Zwiebeln
das **Zwie|ge|spräch**
Das heißt: <u>Zwei</u>ergespräch.
der **Zwil|ling,** die Zwillinge
Das Wort bedeutet: <u>Zwei</u>ling.
zwin|gen, er zwang,
gezwungen, der Zwang
der **Zwin|ger,** die Zwinger
zwin|kern, sie zwinkerte
der **Zwirn,** die Zwirne
zwi|schen,
der Zwischenfall,
der Zwischenraum
zwit|schern,
er zwitscherte
zwölf
der **Zy|lin|der,** die Zylinder

Kleine Lexika

- Wörtersammlung für den Sachunterricht — 202
- Lautmalende Wörter — 221
- Wortfelder — 222
- Wortfamilien — 226
- Landschaftliche Unterschiede in der Sprache — 229
- Vornamen und ihre Bedeutung — 232
- Kleines Grammatiklexikon — 236
- Kleines Rechtschreiblexikon — 242
- Lauttabelle für die türkische und russische Sprache — 268

■ Körper

■ Rumpf, Haupt S. 128, Kopf, Hinterkopf, Stirn, Schläfe S. 170, Hals, Schulter, Achsel, Brust, Leib, Unterleib, Bauch, Rücken S. 166, Scheide, Glied, Popo, Gesäß

■ Gesicht, Auge, Ohr, Nase, Mund

■ Arm, Unterarm, Oberarm, Ellbogen (Ellenbogen S. 112), Hand, Finger, Daumen, Bein, Oberschenkel, Unterschenkel, Gelenk, Knie, Ferse S. 230, Knöchel, Zeh, Fuß

■ Skelett, Knochen S. 100, Wirbel, Wirbelsäule, Rückgrat, Rippe, Schienbein S. 100, Schlüsselbein S. 100

■ Magen, Darm, Herz S. 129, Lunge, Niere, Leber, Galle, Blase

■ Kot, Urin

■ Blut, Ader, Fleisch, Fett, Muskel, Muskulatur, Sehne, Nerv, Drüse, Haut, Haar

■ Lippe, Gebiss, Zahn, Zunge, Gaumen, Speichel, Spucke, Speiseröhre, Luftröhre

■ atmen, essen S. 224, trinken, sprechen S. 223, 228, sehen S. 222, hören, riechen, schmecken, gehen S. 222, sitzen S. 228, stehen, liegen, schlafen, weinen S. 225, lachen S. 224, schwitzen, frieren, zittern

■ groß, klein, dick, schlank, stark, schwach, jung, alt, kräftig, stämmig S. 179, untersetzt, gedrungen, muskulös, riesenhaft, breitschultrig, zart, müde, erschöpft, abgespannt, verweichlicht, gesund, krank, schön, hässlich

■ **Nahrung** (vergleiche auch: ■ Körper)

▦ Frühstück S. 120, Mittagessen, Mittagbrot, Abendessen S. 229, Abendbrot S. 229, Picknick

▦ Speise, Getränk, Vorspeise, Mahlzeit, Hauptmahlzeit, Nachtisch, Lieblingsspeise, Leibgericht

▦ Kompott, Pudding, Nachspeise

▦ Esswaren, Nahrungsmittel, Lebensmittel, Futter, Kost, Nahrung, Genussmittel

▦ Vitamine, Nährstoffe

▦ Milcherzeugnisse, Milchwaren, Milch, Käse, Butter, Quark, Joghurt (Jogurt), Sahne

▦ Mehlprodukte, Mehl, Teigwaren, Brot S. 229, Weißbrot, Schwarzbrot, Graubrot, Pumpernickel, Brötchen/Semmel, Zwieback S. 200, Kuchen, Torte, Keks, Spekulatius, Nudeln, Spaghetti (Spagetti), Pizza, Grieß

▦ Nährmittel, Reis, Mais

▦ Gemüse S. 122, Bohne, Blumenkohl, Rotkohl/Rotkraut/ Blaukraut S. 231, Mohrrübe/gelbe Rübe/Wurzel S. 230, Erbse, Kartoffel S. 135

▦ Salat, Feldsalat, Endiviensalat, Kopfsalat

▦ Obst, Früchte, Apfel, Birne, Banane, Apfelsine S. 95, Zitrone, Kirsche, Pflaume, Beere

▦ Fleisch, Aufschnitt S. 96, Wurst, Braten, Schinken, Geflügel S. 121, Wild, Gulasch S. 126

▦ Fisch

▦ Gewürz, Salz, Zucker, Süßstoff, Senf, Ketchup (Ketschup), Zimt, Pfeffer, Zwiebel, Petersilie

▦ Süßwaren, Süßigkeiten, Konfekt, Praline, Schokolade, Bonbon S. 229, Kaugummi

▦ Suppe, Brühe, Bouillon

▦ Fett, Margarine, Öl, Butter

- Aufstrich, Konfitüre, Marmelade, Gelee, Honig
- Getränke, Milch, Saft, Most, Tee, Kaffee, Kakao, Mineralwasser, Limonade, Bier, Wein
- Verpackung, Tüte, Dose, Konservenbüchse, Flasche, Glas, Papier, Karton, Schachtel, Müll
- Schüssel, Topf, Pfanne, Kessel
- Tisch, Tischdecke, Serviette, Kellner, Gedeck
- Besteck, Löffel, Gabel, Messer, Teller, Tasse, Untertasse, Glas, Becher
- Tischsitte, Essgewohnheit
- Geschmack, Geruch
- Appetit, Hunger, Durst

- essen, speisen, aufessen, frühstücken S. 120, schmausen, hinunterschlingen, fressen, trinken, schlürfen, schlucken, schmecken, kosten, probieren, nippen, naschen, beißen, kauen, rülpsen, schlabbern, schlemmen
- hungern, fasten, verhungern
- kochen, braten, grillen, dünsten, backen, einkochen, einfrieren, haltbar machen
- pfeffern, salzen, süßen, würzen, versalzen
- Tisch decken, abräumen, spülen, abtrocknen

- vielseitig, abwechslungsreich, schmackhaft, lecker S. 142, gesund, frisch, regelmäßig
- würzig, herzhaft, süß, sauer, salzig, bitter
- kalt, lauwarm, warm, heiß
- satt, gesättigt, hungrig, ausgehungert, durstig, nüchtern, voll gefressen

■ Familie (vergleiche auch: ■ Wohnen)

■ Familienmitglied, Angehöriger, Verwandter

■ Eltern S. 112, Vater, Mutter, Alleinerziehende(r), Kind, Geschwister, Zwilling S. 199, Bruder, Schwester, Sohn, Tochter, Stiefvater, Stiefmutter, Adoptivkind; Großeltern, Großvater, Opa, Großmutter, Oma; Urgroßeltern, Vorfahren, Ahnen, Generation; Verwandte, Verwandtschaft, Tante, Onkel, Nichte, Neffe, Vetter (Cousin), Base, Kusine (Cousine), Schwager, Schwägerin, Schwiegervater, Schwiegermutter, Schwiegersohn, Schwiegertochter, Enkel; Erbe

■ Verlobung, Trauung, Vermählung, Hochzeit, Ehe, Scheidung

■ Brautleute, Brautpaar, Braut, Bräutigam, Mann S. 146, Ehemann, Frau, Ehefrau

■ Witwe, Witwer, Waise

■ Geburt, Taufe, Konfirmation S. 139, Kommunion, Tod, Beerdigung, Bestattung

■ Ähnlichkeit

■ Familienstammbuch, Urkunde, Stammbaum

■ Baby, Säugling, Kleinkind, Spielkind, Schulkind, Jugendlicher, Erwachsener, Senior

■ Jugend, Alter, Lebensabend

■ Andenken, Erbe, Erinnerung, Fotoalbum

■ verloben, heiraten, vermählen, sich scheiden lassen, adoptieren

■ sprechen S. 223, 228, spielen, spazieren gehen S. 222, verreisen, essen S. 224, sich unterhalten S. 223, streiten, zanken, einander helfen, sich ärgern, lieben, verzeihen, vertrauen, feiern, trösten, jemanden pflegen, schenken S. 225

■ erben, vererben

■ verwandt, verschwägert, verliebt, verlobt, verheiratet, geschieden, allein erziehend

■ **Wohnen**

■ Wohnort, Wohngebiet, Ortskern, Ortsrand, Vorort, Innenstadt, Altstadt, Neubaugebiet, Siedlung, öffentliche Gebäude S. 226, Einkaufszentrum, Erholungsgebiet, Industriegebiet, Verkehrsverbindung, Wohnlage, Ortswechsel

■ Einfamilienhaus, Mietwohnung, Reihenhaus, Hochhaus, Hütte, Villa, Bungalow, Eigentumswohnung, sozialer Wohnungsbau, Etagenwohnung, Baracke, Wohnwagen

■ Neubau S. 226, Altbau; Erdgeschoss, Parterre, Stockwerk, Etage, Mansarde, Dach, Treppenhaus, Fahrstuhl

■ Miete, Mietvertrag, Kündigung, Hausordnung

■ Mieter, Vermieter, Hauswart, Hausmeister, Nachbar S. 151

■ Fenster S. 116, Tür, Wand S. 193, Mauer S. 147, Pfeiler

■ Zimmer, Raum, Stube, Kammer, Küche, Kochnische, Diele, Bad, Kinderzimmer, Wohnzimmer, Essecke, Schlafzimmer, Arbeitszimmer, Gästezimmer, Keller, Dachboden, Speicher, Toilette, Balkon, Terrasse, Garage

■ Umzug, Einzug, Auszug, Speditionsfirma, Möbelwagen

■ Möbel, Schrank, Tisch, Stuhl, Kommode, Regal, Spiegel, Sessel, Sofa, Lampe, Bett, Wäscheschrank, Teppich, Vorhang, Gardine, Bücher, Schreibtisch, Klavier, Radio, Fernseher, Videorekorder, Stereoanlage, Computer, CD-Spieler, Heizung, Waschmaschine, Herd, Spülmaschine

■ Staubsauger, Besen, Schrubber, Mülleimer, Container

■ wohnen, einziehen, ausziehen, umziehen

■ lesen, sich unterhalten S. 223, plaudern, fernsehen, musizieren, Musik hören, spielen, schlafen, essen S. 224, feiern, kochen, backen, Besuch haben, Gäste einladen

■ waschen, abtrocknen, Staub wischen/saugen, aufräumen, putzen, fegen, Wäsche waschen, bügeln, Blumen gießen

■ renovieren, tapezieren, anstreichen

■ wohnlich, heimelig, gemütlich, warm, kalt, kahl

■ Arbeit

- ▓ Arbeit, Beschäftigung, Ausbildung, Beruf, Dienst, Frühschicht, Spätschicht, Überstunden; Teilzeit, Arbeitsplatz,
- ▓ Feierabend, Arbeitspause, Freizeit, Erholung, Urlaub
- ▓ Lehrling s. 143, Stift, Auszubildende(r), Azubi, Geselle, Meister, Chef, Gehilfe, Handlanger, Mitarbeiter, Arbeiter, Angestellter, Hilfsarbeiter, Angelernter
- ▓ Faulenzer, Arbeitsscheuer, Bummelant, Drückeberger
- ▓ Kollege, Kollegin, Arbeitnehmer, Arbeitgeber, Arbeitslose
- ▓ Arbeitsamt, Gewerkschaft, Streik, Aussperrung
- ▓ Industriebetrieb, Fabrik, Firma, landwirtschaftlicher Betrieb, Dienstleistungsbetrieb, Büro, Geschäft, Handwerk s. 127, Werkstatt s. 194, Reparaturwerkstatt s. 194, Haushalt
- ▓ Arbeitsablauf, Aufgabe, Arbeitsschritt, Arbeitsorganisation, Arbeitsteilung, Handarbeit, Herstellung, Reparatur
- ▓ Arbeitsgerät, Maschine, Handwerkszeug, Computer
- ▓ Erzeugnis, Rohstoff, Material, Fertigware
- ▓ Anforderung, Erfolg, Misserfolg, Freude, Ärger, Leistung
- ▓ Lohn, Gehalt, Stundenlohn, Bruttolohn, Nettolohn, Verdienst, Einkommen, Steuer

- ▓ arbeiten s. 225, 229, schaffen s. 225, 229, sich beschäftigen s. 225, werken, wirken, Hand anlegen, vollbringen, sich quälen s. 225, schuften s. 225, sich anstrengen s. 225
- ▓ murksen, pfuschen, schludern, wursteln
- ▓ faulenzen, trödeln, bummeln, ausruhen, herumlungern, schwänzen, blaumachen, streiken

- ▓ fleißig, emsig, geschäftig, tätig
- ▓ faul, lässig, nachlässig, unlustig, arbeitsscheu, fahrlässig
- ▓ arbeitslos, stellungslos, beschäftigungslos
- ▓ gründlich s. 126, sorgfältig, ordentlich, zuverlässig
- ▓ flüchtig, gedankenlos, gleichgültig, liederlich, schlampig

■ **Berufe** (vergleiche auch: ■ Arbeit und ■ Werkzeuge)

■ Landwirt, Weinbauer, Melker, Tierpfleger, Fischer, Züchter

■ Gärtner, Florist, Gartenarchitekt, Förster, Jäger

■ Drucker, Schriftsetzer, Papierhersteller, Buchbinder

■ Schlosser, Schweißer, Schmied, Installateur, Mechaniker, Uhrmacher, Werkzeugmacher, Zahntechniker, Augenoptiker, Instrumentenbauer, Metallarbeiter, Klempner

■ Bergleute, Steinbrecher, Erdölgewinner, Kiesgewinner

■ Schneider S. 172, Schuhmacher, Hutmacher, Fellverarbeiter

■ Bäcker S. 98, Konditor, Fleischer S. 230, Koch, Brauer

■ Maurer, Betonbauer, Zimmerer, Dachdecker, Gerüstbauer, Straßenbauer, Gleisbauer, Sprengmeister, Stuckateur, Fliesenleger, Ofensetzer, Glaser, Raumausstatter, Polsterer

■ Tischler S. 173, Lackierer, Maschinist, Kranführer, Heizer

■ Wäscher, Gebäudereiniger, Straßenreiniger, Müllarbeiter

■ Ingenieur, Architekt, Chemiker, Physiker, Mathematiker, Techniker, Laborant, Technischer Zeichner

■ Kaufleute (Einzelhandel, Großhandel), Versicherungskaufleute, Verkäufer, Buchhändler, Handelsvertreter, Werbefachleute, Makler, Drogist, Tankwart

■ Schaffner, Kraftfahrzeugführer, Schiffsoffizier, Schiffsmaschinist, Flugzeugführer, Pilot, Fluglotse, Lagerarbeiter

■ Geschäftsführer, Wirtschaftsprüfer, Steuerberater, Buchhalter, Programmierer, Informatiker, Bürofachkraft

■ Schutzleute, Detektiv S. 108, Pförtner, Soldat, Polizist, Feuerwehrleute, Schornsteinfeger, Fleischbeschauer

■ Publizist, Dolmetscher, Bibliothekar, Übersetzer, Archivar, Musiker, Schauspieler, Grafiker, Fotograf, Artist, Journalist

■ Arzt, Apotheker, Heilpraktiker, Masseur, Krankengymnast, Krankenschwester, Krankenpfleger, Hebamme

■ Sozialarbeiter, Erzieher, Lehrer, Dozent, Seelsorger

■ Friseur, Hotelier, Gastwirt, Kellner, Steward

■ **Werkzeuge, Geräte, Maschinen**
(vergleiche auch: ■ Arbeit und ■ Berufe)

■ Landwirtschaft, Handwerk s. 127, Industrie, Dienstleistung

■ Fahrzeug s. 227, Karren, Wagen, Fahrrad, Eisenbahn, Automobil s. 97

■ Mörtelmischmaschine, Betonmischmaschine, Gabelstapler

■ Kaffeemaschine, Schreibmaschine, Schneidemaschine, Laminiergerät, Bindegerät

■ Axt, Beil, Bohrer, Zange, Hammer, Hobel, Keil, Meißel, Stemmeisen, Feile, Raspel, Spachtel, Messer, Schere, Säge, Sense, Sichel, Schraubenzieher, Schraubenschlüssel, Nagel, Schraube, Dübel, Mutter, Wasserwaage s. 193, Drehbank

■ Maschine, Apparat, Automat s. 97, Roboter, Gestell, Achse, Motor, Rolle, Flaschenzug, Hebel, Kran, Presse, Pumpe, Feder, Rad, Spule, Turbine, Walze, Welle, Kurbel, Winde, Zahnrad, Kolben, Umdrehung, Getriebe, Zylinder, Bremse

■ Kraft, Zug, Druck, Gewicht, Rotation, Reibung, Kühlung

■ drucken, binden, schmelzen

■ schmelzen, walzen, formen, pressen, stanzen, drehen, fräsen, hobeln, bohren, schleifen, polieren, gravieren, verzinken, emaillieren, schweißen, gießen, löten, nieten, bauen, schmieden, schneiden, montieren, hämmern

■ spinnen, spulen, zwirnen, weben, sticken, nähen, färben

■ backen, kochen, brauen

■ mauern, zimmern, pflastern, gipsen, isolieren, polstern

■ konstruieren, zusammensetzen, zusammenbauen, montieren

■ reparieren, instand setzen, Schaden beheben, flicken, kitten, leimen, kleben, löten, dichten, stopfen

■ sich drehen, rotieren

■ mechanisch, automatisch s. 97, elektrisch

■ **Schule** (vergleiche auch: ■ Arbeit)

▦ Schüler, Schülerin, Klassenkamerad, Lehrer/Lehrerin S. 143, Schulleiter, Rektor, Rektorin, Sekretärin, Hausmeister, Putzfrau, Banknachbar, Freundin, Freund, Klassensprecher

▦ Klasse, Klassenraum, Spielecke, Leseecke, Flur, Pausenhof, Toilette, Lehrmittelraum, Turnhalle, Lehrerzimmer, Büro, Aula, Schülerbücherei

▦ Schulbeginn, Unterrichtszeit, Stunde, Stundenplan, Pause, Pausenzeichen, Frühstückspause, Hofpause, Aufsicht S. 175, Schulschluss, Schulbus, Ferien S. 116

▦ Klassenordnung, Klassenamt, Schulordnung

▦ Schullandheim, Jugendherberge, Wandertag, Schulausflug

▦ Elternabend, Elternsprechtag, Elternbesuch, Elternbrief

▦ Heft, Buch, Tafel, Kreide, Tinte, Füller, Kugelschreiber, Bleistift S. 103, Buntstift, Filzstift, Radiergummi, Anspitzer, Lineal, Federtasche, Etui, Schultasche S. 231, Tornister S. 231

▦ Unterricht, Stillarbeit, Freiarbeit, freie Arbeit, Partnerarbeit, Hausaufgaben, Klassenarbeit, Diktat, Zeugnis, Note, Zensur, Berichtigung, Klassenfest, Schulfeier

▦ Sprache S. 228, Deutsch, Lesen, Rechtschreiben, Aufsatz S. 228, Grammatik, Sprachlehre, Mathematik, Sachkunde, Heimat- und Sachunterricht, Sport, Leibeserziehung, Musik, Kunst, Textilarbeit, Textiles Gestalten, Werken, Schwimmen, Religion, Ethikunterricht, Förderunterricht

▦ Wunsch, Bitte, Meinung, Ansicht, Verhalten, Vertrauen, Verantwortung

▦ Anerkennung, Lob, Belohnung; Ablehnung, Rüge, Tadel, Strafe

▦ Mitwirkung, Mitbestimmung, Pflicht, Recht S. 163, Spielregel, Entscheidung, Mehrheit, Demokratie S. 107

▦ lesen, schreiben, rechnen, untersuchen, erforschen, singen, musizieren, malen, zeichnen, beten, basteln, werken S. 194, schwimmen, turnen, tanzen, weben, nähen, häkeln, sticken, stricken

■ lehren S. 143, lernen, etwas durchnehmen, sich freuen, Angst haben, schwatzen S. 223, aufpassen, zuhören, mitarbeiten, Spaß haben, Rücksicht nehmen, sitzen, stehen, abschreiben, abgucken, mogeln, schummeln, sitzen bleiben S. 228, versetzt werden, loben, schimpfen, tadeln, fragen S. 223, antworten S. 223, reden S. 223, sprechen S. 223, 228, an die Tafel kommen, prügeln, schreien, gehorchen

■ gerecht, ungerecht, fröhlich, lustig, streng, milde, frech, interessant, spannend, gehorsam, ungehorsam, lieb, fleißig, faul, pünktlich, unpünktlich

■ Schule in alter Zeit: Schiefertafel, Griffel, Schwämmchen, Schwammdose, Dreisitzerbank, Fünfsitzerbank, Eselsbank, Katheder, Tintenfass, Rohrstock, Schläge, Kanonenofen, Schulmeister, Kartoffelferien, Klassenerste(r)

■ **Fußgänger, Fahrrad** (vergleiche auch: ■ Auto)

■ Verkehrsteilnehmer, Verkehrspartner, Radfahrer, Verkehrspolizist, Schülerlotse

■ Verkehrsstrom, Berufsverkehr

■ Straße S. 181, Gehweg, Bürgersteig, Schulweg, Fußgängerüberweg, Unterführung, Überführung, Zebrastreifen, Fahrbahn S. 227, Damm, Fahrbahnrand, Radfahrweg, Landstraße, Kreuzung, Straßeneinmündung, Seitenstreifen, Rinnstein, Bordstein, Bordsteinkante, Verkehrsinsel, Bahnübergang, Haltestelle, Einbahnstraße, Kurve, Engpass

■ Ampel, Fußgängerampel, Lichtzeichenanlage, Blinkampel, Druckampel, Ampelphase, Zeichen, Signal

■ Verkehrsregel, Vorfahrtsregel, Verkehrsschild, Schild, Schranke, Fahrbahnmarkierung, Haltelinie, Pfeil, Leitlinie, Wartelinie, Halteverbot, Überholverbot, Leitpfosten, Richtungstafel, Gefahrenzeichen

■ Fahrrad, Zweirad, Herrenrad, Damenrad, Kinderrad, Tandem

■ Beleuchtung, Scheinwerfer, Dynamo, Bremse, Handbremse, Gangschaltung, Kette, Klingel, Glocke, Lenkung, Lenker, Gepäckträger, Tretstrahler, Rückstrahler, Rücklicht, Bereifung, Reifen, Reifenprofil, Schutzblech, Sattel, Kettenspannung, Standfestigkeit, Nabe, Kraftübertragung, Ventil, Stromkreis, Reflektor, Luftpumpe

■ Geradeausfahrt, Fahrtrichtung, Richtungsanzeige, Spur, Bogen, Kurve, Gleichgewicht

■ Verkehrssicherheit, Vorschrift, Ordnung, Regelung, Verbot

■ Panne, Wartung, Pflege

■ Gefahrenstelle S. 227, Gefährdung S. 227, Witterung, Regen, Nebel, Schnee, Glatteis, Dunkelheit, Seitenwind, Kleidung, Schutzbekleidung, Schiene, Kopfsteinpflaster, Geräusch, Geschwindigkeit, Sicherheitsabstand, Entfernung, Sichtbehinderung, Sichtpunkt, Sichtwinkel, Schleudergefahr, Rutschgefahr, Schrecksekunde

■ Sturz, Unfall, Helm

■ Handzeichen, Blickkontakt, Aufmerksamkeit, Fehlverhalten

■ Jugendverkehrsschule, Übungsplatz, Radfahrtraining, Radfahrprüfung

■ beobachten S. 222, warten, abschätzen, überschauen, beurteilen, voraussehen, sich verständigen, sich orientieren, trödeln, hetzen

■ fahren S. 227, überholen, heranfahren, auffahren, abbiegen, vorbeifahren, anfahren, anhalten, bremsen, beschleunigen, einfädeln, einordnen, einfahren, ausweichen, beherrschen, lenken, aufsteigen, absteigen, umsehen, schieben, einhändig lenken, rückwärts blicken S. 166, rollen, wenden, halten

■ verkehrsgerecht, partnerschaftlich, rücksichtsvoll, umsichtig, vorsichtig, verkehrssicher, zügig, hastig, unsicher, leichtsinnig

- **Auto** (vergleiche auch: ■ Fußgänger, Fahrrad)

- Auto, Wagen, Fahrzeug s. 227, Personenkraftwagen (Pkw),
  Lastkraftwagen (Lkw), Krankenwagen, Tankwagen, Taxi,
  Autobus, Omnibus, Bus, Transporter

- Garage, Parkplatz, Parkuhr, Parkhaus

- Motor, Bremse, Getriebe, Reifen, Kofferraum, Auspuff,
  Rückspiegel, Blinker, Fahrersitz, Beifahrersitz, Sicherheits-
  gurt, Rücksitz, Gangschaltung, Automatik, Anlasser,
  Zündschlüssel, Gas, Lenkrad, Stoßstange, Fernlicht,
  Standlicht, Abblendlicht, Rücklicht

- Benzin, Super, Normal, Diesel, Kühlwasser, Tankstelle,
  Tankwart, Tanksäule, Inspektion, Reparatur, Reserve-
  kanister

- Panne, Unfall, Blechschaden, Zusammenstoß, Polizei,
  Verwarnung, Bußgeld

- Fahrer, Beifahrer, Insassen

- Verkehrsregel, Vorfahrt s. 227

- Bundesstraße, Landstraße, Autobahn, Leitplanke,
  Fahrbahn s. 227, Kreuzung, Gabelung, Kurve

- Wegweiser, Vorwegweiser, Ortsschild, Straßenkarte

- Ampel, Haltelinie, Verkehrsschild, Halteschild, Vorfahrts-
  schild, Geschwindigkeitsbegrenzung, Einbahnstraße

- Geschwindigkeit, Tempo, Vorfahrt, toter Winkel

- Fracht, Fuhre s. 227, Ladung, Last

- starten, anlassen, schalten, fahren s. 227, rasen, rollen,
  schleudern, lenken, einschlagen, wenden, überholen,
  einordnen, abbiegen, bremsen, halten, Halt machen,
  parken, rasten

- verladen, transportieren

- schnell, flott, gemächlich, langsam, aufmerksam,
  vorsichtig, rücksichtsvoll

■ **Wetter**

■ Thermometer, Grad Celsius (°C) s. 106, Wetterkarte, Meteorologe, Wettervorhersage, Wetterhahn, Wetterfrosch, Bauernregel

■ Sonne, Sonnenschein

■ Bewölkung, Wolke, Gewölk, Wolkenwand, Federwolke, Haufenwolke, Schäfchenwolke, Gewitterwolke

■ wolkig, bewölkt, klar, heiter, sonnig, bedeckt, wolkenlos

■ Wind, Sturm, Orkan, steife Brise, Bö/Böe, Hauch, Lüftchen, Nordwind …, Himmelsrichtung, Luftzug, Windstoß, Föhn

■ wehen, blasen, stürmen, fauchen/pfauchen, sausen, säuseln, fächeln, flüstern, pfeifen, brausen, toben, heulen

■ windig, stürmisch, böig, zugig

■ Niederschlag, Regen, Tau, Nebel, Dunst, Schauer, Nieselregen, Platzregen, Landregen, Wolkenbruch s. 226, Hagel, Graupel

■ regnen, gießen, pladdern, schütten, strömen, nieseln s. 231

■ neblig, regnerisch, trüb, diesig, nass, feucht

■ Temperatur, Wärme, Kälte, Hitze, Affenhitze, Bullenhitze, Schwüle, Abkühlung, Kühle

■ mild, warm, sommerlich, heiß, schwül, drückend, kühl, kalt, eiskalt, bitterkalt, nasskalt

■ Gewitter, Unwetter, Blitz, Donner s. 109, Donnerrollen, Donnerschlag, Einschlag

■ blitzen, donnern s. 109, wetterleuchten, rummeln, grollen, krachen, einschlagen

■ Schnee, Schneeflocke, Schneetreiben, Schneegestöber, Schneeschauer, Schneesturm, Schneewehe, Lawine, Eis, Glatteis, Raureif, Eiszapfen, Tauwetter, Frost

■ schneien, hageln, graupeln, frieren, vereisen, tauen

■ winterlich, vereist, frostig

■ **Feuer und Wasser** (vergleiche auch: ■ Wetter)

■ Feuer, Flamme, Funke, Lohe, Glut, Hitze, Wärme, Licht, Explosion, Blitz, Brand, Feuersbrunst, Schadenfeuer

■ Verbrennung, Hausbrand, Brennstoff, Holz, Kohle, Gas, Öl

■ Kerze, Laterne, Ofen, Grillfeuer, Lagerfeuer, Elektroheizung, Kamin, Kachelofen

■ Unfallgefahr, Feuerwehr, Brandschutz, Brandstifter

■ Osterfeuer, Johannisfeuer, Fegefeuer, Feuerwerk

■ brennen, anmachen, entfachen, anzünden, anheizen, entzünden, anstecken, anbrennen, einheizen, schüren, leuchten, glimmen, wabern, lohen, flackern, glühen

■ feuerfest, feuergefährlich, feuerrot, lichterloh

■ Wolke, Niederschlag, Regen, Sprühregen, Nieselregen, Landregen, Platzregen, Gewitterregen, Tau, Dampf, Nebel, Dunst, Reif, Raureif, Hagel, Graupeln, Schnee, Eis

■ Lache, Pfütze, Becken, Tümpel, Teich, Weiher, See, Meer, Ozean, Sumpf, Moor, Matsch, Schlamm, Marsch, Watt

■ Wasserlauf, Rinnsal, Bächlein, Bach, Flüsschen, Fluss, Strom, Wasserfall, Stromschnelle, Wirbel, Strudel

■ Wasserversorgung, Leitung, Wasserhahn, Quelle, Brunnen, Wasserspeicher, Zisterne, Wasserwerk, Wasserturm

■ Entsorgung, Schmutzwasser, Abwasser, Kläranlage, Entwässerung, Wasserzähler, Wasserverbrauch, Trinkwasser

■ Wasserkreislauf, Grundwasser, Wasserdampf

■ frieren, tauen, schmelzen, verdunsten, kondensieren, sieden, versickern, tropfen, rieseln, fließen, strömen

■ schwimmen, schweben, sinken, baden, tauchen, kraulen, planschen/plantschen, spritzen, waten, wassertreten

■ feucht, nass, gasförmig, flüssig, wäss(e)rig, fest, hart, weich, sauber, verdreckt, verschmutzt, verseucht, vergiftet

■ **Elektrizität** (vergleiche auch: ■ Licht)

▨ Gewitter S. 195, Energie, erneuerbare Energie, Energiepolitik, Energiekonzern, Energieversorgung, Energiequelle

▨ Elektrizität, Elektrizitätswerk, Kraftwerk, Kohlekraftwerk, Atommeiler, Atomkraftwerk, Solarkraftwerk S. 177, Wasserkraftwerk, Stromnetz, Stromversorger, Stromverbraucher, Fernleitung, Ortsleitung, Hausleitung, Ökostrom S. 154, Atomstrom, Strompreis, Stromverbrauch, Strom sparen, Ökosteuer S. 154

▨ Strom, Saft, Gleichstrom, Wechselstrom, sauberer Strom

▨ Solarstrom, Solaranlage, Sonnenkollektor, Solarzelle

▨ Stromquelle, Stromkreis, Pol, Nordpol, Südpol, Pluspol, Minuspol, positiv, negativ

▨ Leiter, Nichtleiter, Widerstand, Isolator

▨ Volt, Watt, Kilowatt S. 136, Ladung, Stromspannung, Stromstärke, Stromverbrauch, Stromzähler

▨ Netz, Netzstecker, Buchse, Steckdose, Schukostecker, Kupferdraht, Strippe, Leitung, Klingeldraht, Schalter, Schaltung, Schaltbild, Stromquelle, Batterie, Akku, Dynamo

▨ Lampe, Glühlampe, Birne, Fassung, Leuchtröhre, Leuchtstofflampe, Halogenleuchte, Gehäuse, Schalter, Wackelkontakt, Sicherung, Kurzschluss, Stromstoß, Schlag

▨ Batterie, Motor, Elektromotor, Polklemme, Transformator (Trafo), Transformatorenhaus, Turbine

▨ Stromkosten, Kilowattstunde S. 136

▨ Kabel, Strippe, Erdung, Isolierung, Krokodilklemme

▨ Elektriker, Prüfschraubenzieher

▨ Elektrogeräte, Elektrokardiogramm (EKG), Elektromagnet S. 145, elektronische Musik, elektrischer Stuhl

▨ elektrisieren, elektrisiert sein, elektrifizieren

▨ Strom verbrauchen, sparen, sperren, unter Strom stehen

■ **Licht** (vergleiche auch: ■ Elektrizität)

▨ Beleuchtung, Lichtstrahl, Lichtschimmer, Lichtbild, Lichtquelle, Schlaglicht, Glanzlicht, Gegenlicht, Augenlicht, Lichtreklame, Lichtermeer, Lichthof, Lichtschacht, Oberlicht, Lichtbündel, Lichtkegel, Belichtung, Leuchtkraft

▨ Lichtschein, Sonnenschein, Morgenschein, Morgenlicht, Tageslicht, Sonnenlicht, Mondlicht, Sternenlicht, Polarlicht, Nordlicht, Wetterleuchten S. 195, Feuerschein

▨ Lichtquelle, Tageslicht, künstliches Licht, Kerzenlicht, Lampenlicht, Fackellicht, Flutlicht, Blitzlicht, elektrisches Licht, Windlicht, Leuchter, Wandleuchte, Außenleuchte, Neonlicht, Kronleuchter

▨ Scheinwerferlicht, Fernlicht, Abblendlicht, Standlicht, Stopplicht, Schlusslicht, Schlussleuchte, Rücklicht

▨ Positionslicht, Leuchtturm, Leuchtfeuer, Leuchtkleidung

▨ Irrlicht, Zwielicht, Lebenslicht, Totenlicht, Heiligenschein, Lichtblick

▨ Feuer, Flamme, Funke

▨ Dunkelheit, Dunkel, Dämmerung, Finsternis, Sonnenfinsternis, Mondfinsternis, Schatten, Halbschatten, Kernschatten, Schlagschatten, Schattenriss

▨ Spiegel, Spiegelbild, Reflexion, Hohlspiegel

▨ brennen, flammen, leuchten, schimmern, scheinen, strahlen, belichten, funkeln, leuchten, durchleuchten, reflektieren, Licht anmachen, anknipsen, löschen

▨ strahlendes, blendendes, fahles, gedämpftes, trübes, weißes, farbiges, schwaches, starkes, kaltes, warmes Licht

▨ hell, dunkel, grell, licht S. 143, lichtecht, lichtempfindlich, vergilbt, lichtscheu, zwielichtig, einleuchtend, scheinbar

▨ lichte Weite, lichte Wälder, ein lichter Moment, anscheinend, scheinbar S. 94

▨ dunkel, finster

■ **Wald** (vergleiche auch: ■ Wiese, Feld)

▓ Nadelwald, Laubwald, Mischwald; Forst, Schonung, Lichtung S. 143, Baumschule

▓ Kraut, Strauch, Busch, Hecke, Gehölz, Unterholz, Gestrüpp, Gesträuch, Dickicht; Haselstrauch, Heckenrose

▓ Baum, Nadelbaum, Laubbaum; Tanne, Fichte, Kiefer, Lärche, Buche, Eiche, Erle, Ahorn, Birke, Kastanie, Linde

▓ Stamm, Ast, Zweig, Nadel, Blatt, Blattrand, Blattader, Blattstiel, Frucht

▓ Eichel, Buchecker, Tannenzapfen, Kiefernzapfen

▓ Waldbeere, Heidelbeere/Blaubeere S. 230, Brombeere, Himbeere, Haselnuss, Hagebutte, Gras, Farn, Moos, Schlingpflanze, Pilz

▓ Naturschutz, Pflanzenschutz, Tierschutz, Hochsitz, saurer Regen, Waldbrand, Müll

▓ Hase, Kaninchen, Fuchs, Dachs, Maus, Eichhörnchen, Ameise, Käfer, Schnecke, Wurm, Reh, Hirsch, Wildschwein, Waschbär, Kuckuck, Meise, Specht, Amsel, Kauz, Eule, Taube, Häher, Bussard

▓ Bach, Teich, See, Libelle

▓ Fahrweg, Wanderweg, Pfad, Holzweg

▓ Förster, Jäger, Heger, Waldarbeiter, Spaziergänger

▓ Märchen: Rotkäppchen, Hänsel und Gretel, Schneewittchen, Rumpelstilzchen

▓ wachsen, keimen, sprießen, blühen, verdorren, vermodern, verfaulen

▓ roden, pflanzen, aufforsten, abholzen, Bäume schlagen, fällen, jagen, schießen, hegen, Wild und Vögel füttern

▓ wandern, spazieren gehen S. 222, spielen, Beeren suchen, Pilze suchen, Tiere beobachten, sich verlaufen

▓ dunkel, finster, beängstigend, hell, licht, dicht, kühl, feucht, unheimlich; giftig, geschützt

■ **Wiese, Feld** (vergleiche auch: ■ Wald)

▓ Wiese, Feld, Acker, Furche, Stoppelfeld, Scholle, Feldweg, Weide, Hecke

▓ Gras, Heu, Getreide, Korn, Weizen, Roggen, Gerste, Hafer, Mais, Kartoffel, Zuckerrübe, Futterrübe; Halm, Rispe, Ähre

▓ Ernte, Samen, Aussaat

▓ Bauernhof, Hof, Aussiedlerhof, Anwesen, Gut, Dorf

▓ Bauer s. 226, Bäuerin, Landwirt, Gutsbesitzer, Pächter, Verwalter

▓ Traktor, Pflug, Egge, Miststreuer, Sämaschine, Mähmaschine, Mähdrescher, Roder, Sense, Sichel, Dreschmaschine, Dreschflegel

▓ Dung, Dünger, Kunstdünger, Mist, Jauche

▓ Erntedankfest, Erntefest

▓ Igel, Blindschleiche, Hase, Kaninchen, Maulwurf, Feldmaus, Hamster, Wiesel, Bussard, Krähe, Lerche, Taube, Sperling, Spatz, Meise, Habicht, Elster, Rebhuhn, Heuschrecke s. 230, Insekten, Biene, Wespe, Hummel, Käfer, Schmetterling

▓ Nestbau, Brutpflege, Jungenaufzucht, Vogelzug; Vogelschutz, Feind

▓ Blattlaus, Schnecke, Marienkäfer s. 230, Ameise, Biene, Regenwurm, Schmetterling, Raupe

▓ Gänseblümchen, Schlüsselblume, Wiesenschaumkraut, Margerite, Kamille, Distel, Quecke, Rainfarn, Löwenzahn, Gras, Klee, Kornblume, Klatschmohn

▓ ackern, anpflanzen, das Feld bestellen, anbauen s. 226, bebauen s. 226, bewirtschaften, düngen, pflügen, eggen, säen, pflanzen, jäten, graben, gießen, ernten, mähen, pflücken, schneiden

▓ ertragreich, fruchtbar, ergiebig, brach, dürr, kahl, karg, unergiebig, unfruchtbar

■ Zeit

■ Sekunde, Minute, Stunde, Tag, Woche, Monat, Jahr,
Jahrzehnt, Jahrhundert, Jahrtausend, Uhr, Chronik,
Tagebuch, Geburtstag, Jahrestag, Namenstag

■ Morgen, Vormittag, Nachmittag, Abend, Nacht s. 151,
Mitternacht, Augenblick, Moment, Zeitpunkt, Frist,
Weile, Periode, Tageslauf, Zeitalter, Arbeitszeit,
Ferienzeit, Freizeit, Weihnachtszeit

■ Jahreszeit, Frühling, Sommer, Herbst, Winter

■ Geburt, Tod, Gegenwart, Vergangenheit, Zukunft,
Weltende, das Ende aller Tage, Vergangenheit,
Geschichte, Vorzeit, Urzeit, Mittelalter, Steinzeit, Eiszeit

■ verlängern, dauern, konservieren, bevorstehen, erwarten

■ verfliegen, vergehen, verblühen, verdampfen, verrinnen,
verwelken, entschwinden, vergehen

■ lange, stundenlang, jahrelang, dreistündig, achtwöchig

■ kurz, vergänglich, jung, alt

■ nie, niemals, selten, manchmal, gelegentlich, ab und
an/zu, dann und wann, hin und wieder, von Zeit zu Zeit

■ oft, öfters, häufig, alle Nase lang, immer, dauernd,
andauernd, ständig, stets, fortwährend, pausenlos,
unablässig, unaufhörlich, ewig, ununterbrochen, endlos,
jederzeit, langjährig, langfristig, lebenslänglich

■ vorher, vorhin, früher, damals, zuerst, im Voraus

■ nachher, später, nach, nachdem, darauf, hinterher, nach-
träglich, nach und nach, demnächst, bald

■ gleichzeitig, während, zugleich, inzwischen, mittlerweile

■ sofort, sogleich, auf der Stelle, augenblicklich, blitzartig,
fristlos, plötzlich, schlagartig, umgehend, unverzüglich

■ gestern, vorgestern, kürzlich, neulich, bisher, heute, heut-
zutage, jetzt, neuerdings, augenblicklich, gegenwärtig,
morgen, übermorgen, irgendwann, eines Tages

Klasse 3 wandert durch den Wald. Die Lehrerin ruft die
Kinder zu sich. „Heute verrate ich euch ein Geheimnis", sagt
sie. Sie nimmt einen dicken, trockenen Ast und
zerbricht ihn überm Knie. „Was habt ihr gehört?" „Knack!",
sagt Thomas. Nun zerbricht sie einen dünnen, trockenen
Zweig. „Was habt ihr diesmal gehört?" „Knick!", ruft Nicole.

Die Lehrerin sagt: „Manche Geräusche heißen einfach so,
wie sie sich anhören."

Unsere Vorfahren ahmten mit der Sprache Geräusche nach.
Sie malten sozusagen mit Lauten. Im Laufe der
Jahrhunderte haben sich die Wörter verändert. Aber wer
genau hinhört, der hört immer noch die „Lautmalerei".
Hier steht eine Auswahl, nach dem ABC geordnet.

ächzen	klappern	patschen	schnattern
bersten	klopfen	pfauchen	schnauben
blöken	knacken	plappern	schnaufen
brausen	knarren	plätschern	Schnupfen
brodeln	knattern	platzen	schnurren
fauchen	knicken	plaudern	schrill
flüstern	knipsen	pochen	schwatzen
gackern	knirschen	poltern	schwirren
gähnen	knistern	quaken	summen
grell	knurren	quietschen	surren
grollen	krachen	rascheln	ticken
grunzen	krähen	rasseln	trällern
Häher	kreischen	rattern	trillern
hauchen	Kuckuck	rauschen	wiehern
Hummel	lachen	röcheln	wimmern
husten	lispeln	rumpeln	zirpen
jubeln	Matsch	sausen	zischen
keuchen	meckern	schmettern	zwitschern
kichern	murmeln	schnarchen	
kläffen	niesen	schnarren	

221

■ gehen

gehen	Bei Grün **gehen** wir über die Straße.
laufen	Die Kinder **laufen** hinter dem Rattenfänger her.
rennen	So schnell sie kann, **rennt** sie zur Polizei.
schreiten	Das Brautpaar **schreitet** in die Kirche.
marschieren	Im Gleichschritt **marschieren** Soldaten.
schleichen	Uwe und Katja **schleichen** vorsichtig um die Hütte herum.
huschen	Die Maus **huschte** ins Loch.
springen	Die Katze **springt** vom Dach.
bummeln	Wir **bummeln** durch die Stadt und sehen in Schaufenster.
waten	Bis zu den Knöcheln **waten** wir durchs Bächlein.
spazieren gehen	Heute Nachmittag **geht** die Familie im Park **spazieren**.

■ sehen

sehen	Auch ohne Brille kann ich gut **sehen**.
beobachten	Der Jäger **beobachtet** die Rehe.
betrachten	Die Kinder **betrachten** ihre Bilder aus dem Kunstunterricht.
entdecken	Eines Morgens **entdeckt** Thomas seinen Hamster in der Schultasche.
blinzeln	Sie **blinzelt** im hellen Sonnenlicht.
besichtigen	Im Urlaub haben wir mehrere Burgen **besichtigt**.
gucken	Andrea **guckt** durchs Schlüsselloch ins Weihnachtszimmer.
gaffen	Viele Leute standen an der Unfallstelle und **gafften**.

■ **sprechen**

sprechen	Stefan **spricht** unverständlich.
sagen	**Sag** ihm bitte etwas Freundliches.
reden	Herr Meier **redet** ununterbrochen.
erwähnen	Im Brief an seine Großeltern **erwähnt** Klaus sein neues Fahrrad nur nebenbei.
plappern	Das Kleinkind **plappert** vor sich hin.
sich unterhalten	Sie **unterhalten sich** übers Fernsehen.
meinen	Claudia **meint**: „Ich spiele nicht mit."
erzählen	Unsere Lehrerin **erzählt** Geschichten.
berichten	Ich **berichtete** dem Polizisten, was ich bei dem Unfall gehört und gesehen hatte.
fragen	„Kannst du das?", **fragt** Andrea Conny.
antworten	„Das kann ich nicht", **antwortet** Conny.
jammern	Er **jammert** den ganzen Tag, weil er Geld verloren hat.
schwatzen	Die Kinder am Nachbartisch **schwatzen** dauernd.
flüstern	Evi **flüstert**: „Hier finden sie uns nicht."
tratschen	Uli **tratscht** dauernd über Peters Familie.

■ **zerstören**

zerstören	Rüpel haben die Parkbank **zerstört**.
kaputtmachen	Du hast meine Uhr **kaputtgemacht**, weil du sie überdreht hast.
zerschmettern	Vor Wut **zerschmetterte** er die Vase.
abreißen	Das alte Haus wird **abgerissen**.
zerreißen	Anonyme Briefe sollte man **zerreißen**.
vernichten	Das Feuer hat die ganze Fabrik **vernichtet**.

■ essen

essen	Er kann mit Messer und Gabel **essen**.
frühstücken	Sonntags **frühstücken** wir erst um zehn.
probieren	Der Koch **probiert**, ob die Suppe gut gewürzt ist.
speisen	Im Restaurant **speist** eine Hochzeitsgesellschaft.
schlingen	Der Hund **schlingt** sein Futter hinunter.
fressen	Du solltest nicht so gierig **fressen**, Ajax!
löffeln	Michael **löffelt** seine Milchsuppe.

■ lachen

lachen	Über deine Witze kann ich nicht **lachen**.
jubeln	„Tor!", **jubelten** die Fußballspieler.
schmunzeln	Opa gibt mir zwei Euro. Er **schmunzelt**: „Taschengeld ist immer zu wenig."
grinsen	„Ich hab die Luft aus deinen Fahrradreifen gelassen", **grinst** der große Anton.
kichern	Die beiden Mädchen stießen sich mit den Schultern an und **kicherten**.
auslachen	Ihr sollt mich nicht **auslachen**, weil ich das nicht kann!
lächeln	Andrea **lächelt** heimlich ihrem Freund zu.

■ weinen

weinen	Uwe ist so traurig, dass er **weinen** muss.
schluchzen	**Schluchzend** zeigt Petra das Loch im Rock.
wimmern	Das allein gelassene Kind **wimmerte** leise.
jammern	Dauernd spricht er vom verlorenen Geld. „Hör auf zu **jammern**!", schimpft Pit.
heulen	Maik **heult** laut: „Steffi hat mich gehauen, auuu!"

■ geben

geben	Papa sagt: „Ich kann dir nicht jeden Tag Geld für neue Hefte **geben**!"
aushändigen	Die Lehrerin **händigt** jedem Kind feierlich das Zeugnis **aus**.
übermitteln	Wir **übermitteln** unsere eilige Nachricht mit einem Telegramm.
vermachen	Oma hat mir ihren Spazierstock **vermacht**.
schenken	Susi bekommt zum Geburtstag einen Tretroller **geschenkt**.
bescheren	Die Eltern **bescheren** die Kinder unterm Weihnachtsbaum.
spenden	Die Fernsehzuschauer **spendeten** Geld für den Tierschutz.
liefern	**Liefern** Sie uns bitte morgen die neuen Möbel ins Haus.

■ arbeiten

arbeiten	Mein Vater **arbeitet** täglich achteinhalb Stunden.
sich beschäftigen	Nach Feierabend **beschäftigt** er **sich** mit seinen Briefmarken.
sich anstrengen	„Du musst dich beim Laufen mehr **anstrengen**", sagt die Lehrerin.
sich quälen	Der Radfahrer **quält sich** die steile Bergstraße hoch.
schuften	Der Gefangene musste von früh bis spät im Steinbruch **schuften**.
schaffen	Die Künstlerin hat ein berühmtes Kunstwerk **geschaffen**.

■ bauen

ans Haus einen **Anbau**
  anbauen

eine Möglichkeit
  verbauen

ein Gelände mit Häusern
  bebauen

das **Gebäude**

der **Bau** des Fuchses

Rüben **anbauen**

der **Straßenbau**

der **Ackerbau**

der **Bauer**

das oder der **Vogelbauer**

der **Neubau**

■ binden

der **Binder** (Schlips)

die Wunde **verbinden**

der **Bindestrich**

das gewebte **Band**

die **Räuberbande**

Die Verträge sind
  verbindlich.

der **Bindfaden**

der **Tierbändiger**

die **Bundesrepublik**

die **Armbinde**

jemanden telefonisch
  verbinden

der **Verband** um die Wunde

die **Entbindung** (Geburt)

zwei **Bände** Karl May

ein **Bund** Radieschen

ein **Bündel** Stroh

Er **bündelt** Stroh.

die **Verbündeten**

das **Bündnis** zweier Staaten

■ brechen

einen Stock **brechen**

unterbrechen

schwere **Brecher** auf See

das **Verbrechen**

der **Einbrecher**

Alte sind oft **gebrechlich**.

der **Wolkenbruch** (das
  Wasser stürzt, als seien
  Wolken gebrochen)

sich **erbrechen**

vor Übelkeit **brechen**

Das Land liegt **brach**
  (ungebrochen,
  noch nicht gepflügt).

der **Bruch** des Knochens

der **Wortbruch** (Bruch eines
  Versprechens)

der **Schiffbruch** (Untergang)

die **Schiffbrüchigen** (Über-
  lebende des Untergangs)

eine **brüchige** Freundschaft

ein großer **Brocken**

Das Gestein **bröckelt**.

■ fahren

die **Ausflugsfahrt**

Der Weg ist **befahrbar**.

eine **befahrene** Straße

die **Fahrbahn**

das **Fahrzeug**

der **Autofahrer**

Wer **vor**her **fahr**en darf, hat **Vorfahrt**.

die **Fähre** über den Fluss

die **Gefahr**

gefährlich

fahrlässig

fahren (altes Wort für „wandern")

Wer weit „**gefahren**" ist, ist **erfahren**, hat **Erfahrung**.

Wer **mitfährt** (mitwandert), ist der **Gefährte**.

Beim Wandern im Sand bleibt eine **Fährte**.

der **Fuhrmann** auf dem **Fuhrwerk**

eine **Fuhre** Heu

die **Müllabfuhr**

■ fallen

tief **fallen**

ein tiefer **Fall**

das **Gefälle** der Straße

Der **Holzfäller fällt** Bäume.

falls das der **Fall** ist …

ebenfalls

Die Miete ist **fällig**.

die **Mausefalle**

Tu mir den **Gefallen**!

Halte **gefälligst** den Mund!

Beifall klatschen

Der Kranke hat einen **Rückfall**.

Der Kranke hat **Durchfall**.

Abfall wegwerfen

■ nehmen

in der Schule etwas **durchnehmen**

etwas **übel nehmen**

sich **zusammennehmen**

Verdächtige **vernehmen**

an etwas **teilnehmen**

die **Vernehmung**

sich gut **benehmen**

abnehmender Mond

Wir **unternehmen** etwas.

Der **Unternehmer** hat eine Fabrik.

Geld **einnehmen**

mit dem Fotoapparat eine **Aufnahme** machen

die **Aufnahme** in die Bande

Mach eine **Ausnahme**!

ausnahmsweise

■ setzen

mit der Fähre **übersetzen**
ins Englische **übersetzen**
nach Klasse 5 **versetzen**
Versetz dich in meine Lage!
den Präsidenten **absetzen**
Der Gärtner **setzt Setzlinge**.
das **Gesetz**
unersetzlich
entsetzlich
der **Satz** im Heft
der **Aufsatz**
ein weiter **Satz** (Sprung)
der **Sitz** im Auto
das **besetzte** Klosett
der **Besitz**
sitzen
der **Vorsitzende**
die **Sitzung**

■ sprechen

miteinander **sprechen**
etwas **besprechen**
etwas **versprechen**
sich **versprechen**
von Schuld **freisprechen**
die **Sprechstunde**
die **Sprache**

die **Ansprache**
das **Gespräch**
sprachlos vor Staunen
das **Sprichwort**
Sie **widerspricht** ihm.
der **Spruch** fürs Poesiealbum
der **Freispruch** vor Gericht
große **Ansprüche** stellen

■ tragen

eine Tasche **tragen**
sich gut **betragen**
einen **Auftrag** geben
einen **Antrag** stellen
einen **Vortrag** halten
das **einträgliche** Geschäft
die **trächtige** Kuh
der **unerträgliche** Lärm

■ ziehen

etwas in die Länge **ziehen**
in die weite Welt **ziehen**
ein Kind **erziehen**
ein **ungezogenes** Kind
Erzieherinnen
der **Strafvollzug**
das Pferd **zügeln**
in jeder **Beziehung**

Claudia aus Oldenburg soll ihre Ferien bei ihrer Kusine Cornelia in Stuttgart verbringen. Eines Abends ruft sie an. Aber Cornelia sagt: „Ich hab grad keine Zeit. Meine Mutter muss heut schaffen. Ich muss für sie noch gelbe Rüben und Blaukraut einkaufen. Ade!" „Tschüs!", stottert Claudia. Sie hat nicht alles verstanden. Ihre Mutter lacht: „Tante Inge muss heute arbeiten. Und Conny muss Möhren und Rotkohl einholen."

Der Vater brummt: „Das ist noch gar nichts! Wenn Onkel Theo die schwäbische Mundart spricht, verstehst du noch viel weniger." „Dafür versteht er dein Friesisch nicht", antwortet die Mutter. Claudia denkt: „Das ist wie letztes Jahr im Urlaub auf dem Bauernhof in Bayern. Da verstand ich oft kein Wort. Aber die Bayern verstanden mein Hochdeutsch."

Wie sagt man bei euch?

das **Abendessen**	Abendbrot, Nachtessen, zur Nacht essen, Vesper, Tee trinken
arbeiten	schaffen
die **Beule** (durch einen Stoß oder Schlag)	Brausche, Brusche, Brüsche, Binkel, Delle, Dübel, Dutzel, Dotz, Horn, Hübel, Bause, Batzen, Knubbel, Knuppe, Kneul, Knuppen, Knorren, Knörzche, Wehne
das/der **Bonbon**	Bombo, Bonsche, Bollchen, Lutscher, Klümpchen, Kamelle, Zuckerstein, Zuckerle, Gutsche, Guatl, Guats, Gutsele
die **Brotscheibe**	Brot, Schnitte, Stück Brot, Stückl Brot, Fladen, Schmiere, Butteram, Botteram, Stulle, Bemme
sich **erkälten**	sich verkälten, sich verkühlen
Fangen (spielen)	Fangerl, Fangerles, Fangermandl, Fangetlis, Fangis, Fango, Fangus, Fangsterl, Tick, Kriegen, Einkriegen, Packen, Haschen, Nachlaufen, Nachlauf

die **Ferse**	die Ferscht, der Fersen, die Hacke, der Hacken
der **Fleischer**	Schlachter, Metzger, Fleischhauer
die **Harke**	der Harken, der Rechen, die Rief
die **Hausschuhe**	Babuschen, Pampuschen, Puschen, Finken, Latschen, Schluffen, Schlapfen, Pantoffeln
die **Heidelbeere**	Blaubeere, Bickbeere, Waldbeere, Worbel, Schwarzbeere, Schwarzebeere
die **Heuschrecke**	Heuschreck, Grashüpfer, Springhahn, Heupferdchen, Graspferd, Heuschnecke, Heubock, Heugumper, Heuhupfer, Heuhüpper, Heuhopper, Heuhopser, Heuspringer, Hoppepferd, Haferbock, Springbock, Heuschneider
kleiner **Junge**	Knirps, Stöpsel, Butz, Steppke, Butt, Buttje, Knäckes, Lütter, Büawei
der **Klempner**	Spengler, Spangler, Flaschner, Blechner
das **Mädchen**	Mädel, Mäderl, Mädle, Madel, Madle, Maitli, Dirndl, Deern
der **Marienkäfer**	Muttergotteskäfer, Sonnenkäfer, Johanniskäfer, Mutschekiebchen, Herrgottskäfer, Glückskäfer
die **Mohrrübe**	Möhre, gelbe Rübe, Gelbrübe, Wurzel, Karotte
naschen	schlecken, schnökern, schlötzen, schnuckern, schnopen
nicht wahr?	nicht? gell? gelle? gelt? gä? woll? oder?
die **Ohrfeige**	Ohrfiech, Backpfeife, Backs, Schelle, Watsche, Dachtel, Backfeige
das **Pferd**	das Perd, der Gaul, der Ackergaul, das Ross, der Globe, der Zossen

feines, leises Regnen	nieseln, fisseln, siefern, sprenzen, nibeln, schmuddern, stippern, trippern, drippeln, pritschen, sprisseln, schmuddeln
der **Rotkohl**	Rotkappes, roter Kappes, Blaukappes, Rotkraut, Blaukraut
die **Rutschbahn** (auf dem Eis)	Rutschebahn, Rutsche, Glitsche, Glitschbahn, Schlitterbahn, Schlickerbahn, Schlinderbahn, Schurrbahn, Eisbahn, Bahn, Glenner, Schleifbahn, Schleif, Schleife, Schliefe
rutschen (über das Eis)	glitschen, schlittern, schliddern, schlickern, schlindern, schindern, schurren, schusseln, Bahn schlagen, glennen, schleifen, schliefere, schliefitzen, schleimern, schliefe
Sonnabend	Samstag, Satertag, Sunnowend, Samstich
der **Schluckauf**	Schluckuck, Schlucken, Schlucker, Schluckser, Schlucks, Hetscher, Höscher, Hickser, Hecker, Hick, Gluggsi, Schnackler, Schnackel, Gluggser
der **Schulranzen**	der Ranzel, der Ränzel, der Tornister, die Schultasche, die Büchertasche, der Schulranzen, der Schulsack, der Schulpack, die Schulmappe, die Schultonne, der Schulkalier
das **Springseil**	Sprungseil, Seil, Seilchen, Hüpfseil, Hopfseil, Hupfseil, Juckseil, Tau, Springtau, Springschnur, Strick
der **Tischler**	Schreiner, Schriener, Discher
der **Weißkohl**	Wittkohl, Kappes, weißer Kappes, Weißkraut, Kraut
die **Ziege**	Geiß, Hippe, Zicke, Ziech

Namen sind nicht einfach erfunden. Jeder Name bedeutet etwas. Die meisten unserer Vornamen stammen aus fremden Sprachen. Hier sind die gebräuchlichsten Vornamen erklärt:

Jungennamen

Alexander Die Griechen nannten einen, der sich wehrt und andere schützt: Alexandros.

Andreas Bei den Griechen hieß das: der Tapfere.

Benjamin In der Bibel bedeutet dieser Name so viel wie „Glückskind".

Christian „Christianus" bedeutete bei den Römern: Er gehört zu Christus.

Daniel In der Bibel bedeutet der Name: Gott ist mein Richter.

Denis Der Name entwickelte sich aus dem Namen des griechischen Gottes des Weines und der Fruchtbarkeit: Dionysos.

Florian „Florus" hieß bei den Römern: blühend, prächtig.

Frank Gemeint war damit früher: einer aus dem germanischen Stamm der Franken.

Jan So sagt man in Norddeutschland, in Polen und bei den Tschechen für ➔ Johannes.

Johannes Name aus der Bibel. Er bedeutet: Gott ist gnädig.

Marcel Mars war der römische Kriegsgott. Daraus machten die Römer die Namen Markus und Marcellus. Marcel sagen heute die Franzosen. Von ihnen haben wir diesen Namen.

Markus Name aus der Römersprache Latein. Er bedeutete: der Kriegerische.

Matthias In der Bibel bedeutet der Name: Geschenk Gottes.

Michael Name aus der Bibel. Er bedeutet eigentlich: Wer ist wie Gott?

Nikolaus In diesem Namen stecken die alten griechischen Namen „nike" (Sieg) und „laos" (Volk). Jeder kennt den berühmtesten Träger dieses Namens. Die Franzosen erfanden dazu die weibliche Form Nicole.

Patrick Die alten Iren sagten Patricc. Den Namen hatten sie von den Römern. Bei denen bedeutete Patricius: der Edle, der Patrizier.

Philipp Der griechische Name Philippos bedeutet: Pferdefreund.

Sascha Wenn Russen einen Alexander gern haben, nennen sie ihn kurz: Sascha.

Sebastian In Griechenland bedeutete Sebastianos früher: der Verehrungswürdige.

Stefan Dieser Name bedeutet in Griechenland so viel wie „Kranz, Krone".

Sven In Norwegen, Schweden und Dänemark bedeutete dieser Name früher: junger Krieger.

Thomas Name aus der Bibel. Er meint: Zwilling.

Tim Manche Fachleute sagen: Der Name stammt von dem germanischen Namen Thietmar (der im Volk Berühmte). Andere sagen: Er stammt von dem griechischen Wort Timotheus (Gott ehrend).

Tobias Name aus der Bibel. Er bedeutet: Gott ist gütig.

Thorsten Er ist zusammengesetzt aus dem Namen des alten Donnergottes Thor und dem Wort für „Stein": sten.

Torsten Name aus Norwegen, Schweden und Dänemark.

Mädchennamen

Alexandra Weibliche Form von ➤ Alexander.
Italienisch heißt der Name: Alessandra.

Andrea Weibliche Form von ➤ Andreas.

Angelika, Bei den alten Griechen war ein „aggelos" ein
Angela, Engel. Die Namen bedeuten also: wie ein
Angelina Engel. Angelina ist die italienische Form,
Angélique die französische.

Anna In der Bibel bedeutet dieser Name so viel wie
„Huld, Gnade".

Christiane Weibliche Form von ➤ Christian.

Christina, Beide Namen sind aus dem älteren Namen
Christine ➤ Christiane entstanden.

Claudia In der Römersprache Latein bedeutete der
Name: Sie gehört zur berühmten Familie der
Claudier.

Daniela Weibliche Form von ➤ Daniel.

Franziska Aus dem Männernamen Franziskus
(kurz: Franz) wurde der weibliche Name
Franziska abgeleitet. Der stammt vom
italienischen Namen Francesco. So hieß der
berühmte Heilige von Assisi.

Jennifer In uralter Zeit, als in England Kelten lebten,
hieß die Frau des sagenhaften Königs Artus
Guenevere.

Jessica In der Bibel bedeutet der Name: Gott sieht
dich an.

Julia Bei den Römern bedeutete das:
Sie gehört zur berühmten Familie der Julier.

Karina Dieser Name hat sich aus Karin entwickelt.
Karin ist die schwedisch/dänische
Kurzform von Katharina.

Katharina Bei den Griechen bedeutete der Name:
die Reine.

Katja Die Russen sagen statt Katharina: Jekatarina.
Daraus wurde die Kurzform Katja.

Katrin Kurzform für ➜ Katharina.

Lisa Das ist die Kurzform des biblischen Namens
Elisabeth. Er besagt, Gott sei vollkommen.

Maria Name aus der Bibel. Niemand weiß, was er
ursprünglich bedeutete.

Melanie Französischer Name. Die Franzosen haben ihn
von den Griechen, bei denen er so viel wie
„dunkelfarbig, schwarz" bedeutete.

Nadine Auf Russisch heißt „Hoffnung": Nadeschda.
Die Russen machten daraus den Namen Nadja.
Aus Nadja wurde Nadine.

Nicole Bei den Griechen bedeutete Nikolaus so viel
wie „Volkssieger". Die Franzosen erfanden
dazu die weibliche Form Nicole.

Sabrina So hieß der Sage nach eine kleine Flussgöttin in
dem englischen Fluss Severn.

Sandra Die Italiener sagen nicht ➜ Alexandra, sondern
Alessandra. Die Kurzform ist Sandra.

Sara Sara ist biblischen Ursprungs und bedeutet
„Fürstin". In der Bibel wird erzählt, alle Juden
stammten letztlich von Sara ab.

Sofie Der griechische Name Sophia bedeutet:
Weisheit.

Stefanie Weibliche Form von ➜ Stefan.

Tanja Das ist die Kurzform des russischen Namens
Tatjana. Niemand weiß, was er bedeutet.

Vanessa Diesen Namen erfand vor mehr als 100 Jahren
der englische Dichter J. Swift. In einem Gedicht
nannte er so eine interessante Frau.

Etwas über Verben (Zeitwörter, Tunwörter)	Beispiele

Viele Wörter sagen, was man tut und was geschieht. Diese Wörter heißen Verben.

schlafen, essen, brennen

Infinitiv (Grundform, Nennform)
Im Wörterbuch stehen Verben in der Grundform (Nennform).

schlafen, essen, brennen

Zeitformen
Das Verb heißt auch Zeitwort, weil es Zeitformen hat. Sie zeigen an, wann das geschieht, wovon im Satz die Rede ist:

■ Präsens (Gegenwart)
▨ in der Gegenwart (Präsens)

er schläft, sie isst, es brennt

▨ Mit der Präsensform kann man aber auch über die Zukunft reden.

morgen kommt er

■ Futur (Zukunft)
in der Zukunft (Futur)

er wird schlafen, sie wird essen, es wird brennen

■ Dreimal Vergangenheit
In der Vergangenheit gibt es drei Zeitformen:
▨ **das Imperfekt/Präteritum, einfache Vergangenheit**

er schlief, sie aß, es brannte

▨ **das Perfekt**
Es besteht immer aus zwei Wörtern: wir <u>sind</u> <u>gelaufen</u>, ihr <u>seid</u> <u>gekommen</u>

er hat geschlafen, sie hat gegessen, es hat gebrannt

■ In Klasse 4 oder 5 lernt ihr
außerdem **das Plusquamperfekt**
kennen.

sie hatte gegessen,
er hatte geöffnet,
ich war gelaufen

Etwas über Nomen oder Substantive **Beispiele**
(Namenwörter)
Es gibt Namen für Menschen,

Anna, Klaus,
Meier, Mutter,
Kind, Lehrer

Tiere,

Hund, Katze,
Lumpi

Pflanzen,

Baum, Buche,
Primel

und Dinge.

Schrank, Tisch,
Auto

Manche Namen sind nur schwer als
Namen zu erkennen.

Luft, Liebe, Zeit,
Angst, Meinung

Alle diese Wörter heißen Nomen oder
Substantive (Namenwörter).

Singular (Einzahl)
Nomen/Substantive können in der
Einzahl (dem Singular) stehen.

der Brief,
die Blume,
das Kind

Plural (Mehrzahl)
Sie können auch in der Mehrzahl
(dem Plural) stehen.

die Briefe,
die Blumen,
die Kinder

Etwas über Artikel (Begleiter)
Nomen/Substantive
können Begleiter haben.
Sie heißen **bestimmte
Artikel** (der, die, das) oder
unbestimmte Artikel (ein,
eine).

Auch Artikel können im
Singular (der Einzahl)
stehen und im Plural
(der Mehrzahl).

Beispiele
die Mutter,
eine Mutter
das Kind, **ein** Kind
der Lehrer,
ein Lehrer

die Mutter,
die Mütter
das Kind,
die Kinder
der Lehrer,
die Lehrer

**Etwas über Pronomen
oder Fürwörter**
Für Nomen (Substantive)
kann man auch
Stellvertreter setzen.

„Für" heißt lateinisch „pro".
Darum heißt diese Art Wörter auch
Pronomen.

Beispiele
Die Frau fuhr Auto.
        Sie fuhr Auto.

Das gefiel der Frau.
Das gefiel ihr.

**Etwas über Adjektive
(Wiewörter/Eigenschaftswörter)**
Viele Wörter sagen,
wie die Dinge sind oder wie
du sie findest.

Beispiele

klein, lang, rot,
laut, krumm

frech, lieb,
sympathisch

Diese Wörter heißen
Adjektive.

Interessantes von Sätzen

> schreiben ✪ verschicken ✪ versprechen ✪ geben ✪
> die Lehrerin ✪ der Max ✪ die Marie ✪ der Hausmeister ✪
> die Eltern ✪ eine Beschwerde ✪ ein Urlaubsgruß ✪
> ein Brief ✪ eine Rechnung

Aus diesem Wörter-Salat können Sätze
werden. Dazu müssen ein paar Wörter
„zusammenspielen". Zuerst ist ein „Spiel-
führer" nötig. Der sagt, was getan wird
und was geschieht. Spielführer können
immer nur Verben sein. Wenn ein Verb
Spielführer wird, heißt es **Prädikat** oder   Prädikat
Satzaussage.   (Satzaussage)

Spielführer soll diesmal sein: schreiben

Das Prädikat braucht Mitspieler, mit
denen es „zusammenspielt".
Die Mitspieler heißen **Satzglieder**.   Satzglieder

Wenn jemand schreibt, fragen wir ja
zuerst: WER schreibt denn da?
Der Mitspieler soll also Antwort geben
auf die Frage: WER tut etwas?

Antwort, zum Beispiel: die Marie.

Dieser Mitspieler heißt **Subjekt**   Subjekt
(Deutsch: Satzgegenstand).   (Satzgegenstand)

Jetzt sind sie zu zweit, aber noch
kein Satz: schreiben die Marie

Wenn das ein Satz werden soll, müssen
die beiden zusammenspielen:
Sie müssen sich aufeinander einstellen.
Das heißt: Sie müssen sich umstellen,
und aus schreib**en** wird schreib**t**:

Die Marie   schreibt.
(Mitspieler: Subjekt) (Spielführer: Prädikat)

Jetzt ist das ein richtiger Satz. Aber wir wollen noch mehr wissen: WEN ODER WAS schreibt Marie? Dafür brauchen wir eine WE<u>N</u>-Ergänzung als weiterer Mitspieler: ein Brief .

Objekt
(Ergänzung)
Dieses Satzglied heißt **Objekt**.
Auch das muss sich auf seine Mitspieler einstellen: ein**en** Brief .
Nun heißt der Satz:

Die Marie schreibt ein**en** Brief .

Jetzt wird's interessant: WEM schreibt Marie einen Brief? Dazu brauchen wir auch noch eine WEM-Ergänzung: der Max .
Für ein sinnvolles Zusammenspiel muss sich Max anpassen. Aus der Max wird de<u>m</u> Max .
Nun muss sich das Objekt an einer passenden Stelle in den Satz einfügen:

Die Marie schreibt dem Max einen Brief .

Na so was! Was steckt wohl dahinter? Na ja, Max hat zwar abstehende Ohren und kämmt sich nie die Haare, aber Marie findet ihn eben hübsch. (Welcher Mann ist schon vollkommen?)
Wir können hübsch dem Satzglied dem Max beifügen. Diese Beifügung hat den lateinischen
Attribut
(Beifügung)
Namen **Attribut**.
Auch das Attribut muss mitspielen. Es passt sich an: de<u>m</u> hübsch<u>en</u> . Jetzt heißt der Satz:

Die Marie schreibt
dem hübschen Max einen Brief .

Die näheren <u>Umstände</u> dieser Schreiberei sind aber noch gar nicht bekannt. Dazu müssten wir wissen, WO das passiert, WANN, WIE und WARUM.

Neue Mitspieler müssen her! Die heißen Um-
standsbestimmungen, lateinisch: **adverbiale**
Bestimmungen. Zum Beispiel:
WO? In der Klasse. (Na so was!) Und WANN?
Ausgerechnet in der Frühstückspause !

adverbiale
Bestimmung
(Umstands-
bestimmung)

Die neuen Satzglieder können an verschiede-
nen Stellen im Satz mitspielen. Das kann man
ausprobieren, indem man sie umstellt und
überlegt: Was klingt am besten? Wie versteht
es der Leser am leichtesten? Probieren wir mal
ein bisschen! (Fachleute nennen das Umstell-
probe.)

Die Marie schreibt während ...
Während der Frühstückspause schreibt ...
In der Klasse schreibt die Marie ...

Wir können noch mehr verraten. Zum Beispiel:
WIE schreibt Marie? Etwa heimlich ? Das wäre
eine Umstandsbestimmung der Art und Weise.
Und WARUM? Vielleicht aus Zuneigung ?
Das ist eine Umstandsbestimmung des
Grundes. Aber man muss ja beim Schreiben
immer an die Leser denken. Die hören auf zu
lesen, wenn Sätze zu lang und unübersichtlich
werden.

🕹 Schreibt diesen Satz mit verschiedenen Ergänzungen
in mehreren Umstellungen, auch als Fragesatz.
Schreibt andere Sätze aus dem Kasten auf Seite 239 oben
mit Umstellungen. Malt die verschiedenen Satzglieder bunt.

🕹 **Prädikate:** klauen, schenken, geben
Ergänzungen: auf der Polizeiwache, in der Apotheke,
frühmorgens, mitten in der Nacht, aus Angst, aus Liebe
Attribute: gefährlich, lieblich, genial, cool
Sucht euch passende Subjekte und Objekte und schreibt mit
Umstellungen drei oder fünf Sätze.

Klasse 1/2: Mitsprechwörter

Ich horche ein Wort Laut für Laut ab.
Dann schreibe ich Buchstabe für Buchstabe.

■ **Zahlwörter:** 5, 8, 11, 12, 100

■ **Kalender-Wörter:** Juni Januar Juli
Oktober Februar Dezember September
Ostern Sonnabend Advent Monat

■ **Körper-Wörter:** Körper Finger Schenkel
Arm Hals Nase Fingernagel Gesicht

■ **Familien-Wörter:** Familie Onkel Eltern
Schwester Tochter Kusine Opa Bruder

■ **Pflanzen-Wörter:** Gras Busch Licht Ast
Blume Blüte Gemüse Wurzel Pflaume
Frucht Birne Apfel Pollen

Aufgaben mit Kontrolle

1. Ein Familienwort steht nicht auf den roten Seiten. Schreibe alle anderen ins Heft.
2. Zwei Pflanzen-Wörter stehen nicht auf den roten Seiten. Schreibe alle anderen in dein Heft. Vergiss die Kontrolle nicht.
3. Schreibe die fünf Zahlen als Wörter in dein Heft. Partner-Kontrolle!
4. Ein Kalender-Wort steht nicht auf den roten Seiten. Schreibe alle anderen in dein Heft. Kontrolle: Alles richtig und sauber?
5. Schreibe alle Familien-Wörter und Kalender-Wörter mit der Endung -er.

6. Zwei Körper-Wörter stehen nicht auf den roten Seiten. Schreibe alle anderen in dein Heft. Partner-Kontrolle!

7. 🐜🐜 Diktiert einander Wörter aus allen Aufgaben. Wechselt nach jedem Wort.

8. Raten mit Wörtern aus dem Wörterbuch
Mindestens drei Kinder spielen zusammen. Ein Kind beginnt zum Beispiel so: „Mein Zahlwort fängt mit f an." Das nächste Kind muss den nächsten Laut nennen: „ü". Dann das nächste: „n". Wer den letzten Laut sagt, darf danach das ganze Wort nennen: „Fünf!" Dann schreiben alle Kinder das Wort in ihr Heft. Wer das ganze Wort nannte, darf die nächste Rätselfrage stellen. Wenn es Probleme gibt, erfindet selbst dafür Spielregeln.

9. ⊕ Schreibe alle Monatsnamen in der richtigen Reihenfolge.

warm	kalt	Körper	Winter
hart	alt	Ast	Onkel

10. Setze zusammen und schreibe: immer ein Wort von links und eins von rechts.
So: *ein warmer Körper, ein ...* Kontrolle!

11. Mach es genauso mit

bunt	frisch	schön	Blume	Frucht	Blüte

Klasse 2: Von Eule bis Quadrat

Wörter mit eu, ei, st, sp, ie und verstecktem r

■ eu/Eu nicht e-u!
die Eule ⭐ neun Euro ⭐ neue Leute ⭐ freuen,
die Freude ⭐ gestern und heute ⭐ der Freund,
die Freundin

1. Schreibe die Wörter mit eu/Eu in der Reihenfolge, wie sie auf den roten Seiten stehen.
Lass kontrollieren.

■ ei nicht e-i!
eins, zwei, drei ⭐ bleiben, schreiben ⭐ Freitag
leise arbeiten ⭐ weit reisen ⭐ ein leichtes Kleid
zeigen ⭐ Eier schneiden ⭐ scheinen ⭐ schreien

2. Partnerdiktat, immer bis zum Stern ⭐.

■ st/St nicht scht!
stehen ⭐ die Stange ⭐ der Stift, der Strauch ⭐
stellen, die Stirn ⭐ das Gestell, die Stunde ⭐
still, der Stängel

3. 🧑‍🤝‍🧑 Diktat: Immer bis zum Stern ⭐.
Unterstreicht die zwei verwandten Wortpaare.
Welches Paar steht auf den roten Seiten?

■ sp/Sp Nicht schp!
sparen, ein Spiel spielen, der Sport

■ qu/Qu Nicht kw!
quaken, das Quadrat

4. Schreibt alle Wörter auswendig.

5. Zu welchem der Namenwörter steht auf den roten Seiten die Mehrzahl?

■ -ar-, -er-, -ir-, -or-, -ur
Wer genau spricht, hört das r!
im Garten arbeiten ✰ **Birnen im Herbst** ✰
Wurzeln in der Erde ✰ **ein hartes Wort** ✰
Es war gestern warm.

6. 🖐🖐 Diktat: Immer bis zum Stern ✰.
Sprecht dazu übertrieben deutlich.

■ ie
Das lang gesprochene i schreibt man meist ie.
Viele Bienen fliegen auf der Wiese. ✰ **Ein Brief**
kommt am Dienstag. ✰ **Papier liegt auf dem**
Weg. ✰ **spielen, das Spiel** ✰ **sieben Tiere** ✰
vier Zwiebeln

7. Schreibe von jedem Nomen (Namenwort)
erst die Einzahl, dann die Mehrzahl.
So: *die Biene – die Bienen, die ...*
Kontrolliere auf den roten Seiten!

8. Partnerdiktat, immer bis zum ✰.

-auen	-lafen	-ehen	-aren	-reiben
-ließen	-neiden	-ielen	-ellen	-lagen

9. 🖐🖐 Am Anfang fehlt **sch** oder **st** oder **sp**.
Probiert flüsternd, wie die Wörter heißen.
Manchmal gibt es mehrere Möglichkeiten.

10. Diktat: Wort für Wort wechselnd. Der Partner
kontrolliert nicht erst hinterher, sondern schon
beim Schreiben.

11. Welche der Verben (Zeitwörter, Tunwörter)
stehen nicht auf den roten Seiten?
Unterstreiche sie.

Nomen (Namenwörter) schreiben wir groß.

BRUDER • BAUM • BLUME • HASE • SCHWESTER
WACHSEN • EULE • MANN • KRAUT • SPRECHEN
HUND • IGEL • FREUNDIN • RAUPE • FLIEGEN
MUTTER • BUSCH • GRAS • BRILLE

12. 🧑‍🤝‍🧑 Drei Wörter sind keine Nomen (Namen-wörter). Welche? (Nicht ins Buch schreiben!)

13. 🧑‍🤝‍🧑 Diktat: Ein Kind diktiert die Namen von Menschen, das andere diktiert die Namen von Tieren. Kontrolliert sofort.

14. Schreibe die fünf Pflanzennamen auswendig. 🧑‍🤝‍🧑 Kontrolle.

15. Drei der Nomen (Namenwörter) stehen auf einer einzigen roten Seite. Schreibe sie auf.

**ein harter Stängel ✧ neun neue Kleider ✧
gestern, heute, morgen ✧ Sport, Wort ✧
Birnen im Garten ✧ reiche Leute ✧ eine heiße
Stirn ✧ ein kleiner Stift ✧ eins, zwei, drei ✧
weiß, heißen ✧ gehen, stehen**

16. Partnerdiktat! Wechsel bei jedem Stern.

Sche- -ter Schwes- -de Stän- -re Stun- -gel

17. ➕ Schreibe die richtigen Wörter.

Klasse 2: Von Pommes bis Verkehr

Doppelte Mitlaute, Dehnungs-h, tz, ß, langes i, aa, ee, ck und v

■ Merkstelle: doppelte Mitlaute

immer im Zimmer ☆ wollen, rollen, sollen ☆ alle Bälle ☆ Wasser, flüssig ☆ füllen, der Füller ☆ kommen, können

Teddy und Puppe ☆ still, ich will ☆ Herr im Himmel ☆ hell, schnell ☆ Blatt fällt, Blätter fallen ☆ müssen, ich muss ☆ wann, dann

<u>Mutter nimmt Pommes.</u> ☆ <u>Pizza und Spagetti essen</u> ☆ <u>Sommer, Sonne, Sonntag</u> ☆ <u>ein Mann, der alles kann</u> ☆ <u>das Wetter am Donnerstag</u> ☆ <u>ein Schmetterling in der Klasse</u>

1. Schreibe die grauen Wörter mit getrennten Silben. So: *im-mer, ...*

2. Schreibe die mittlere Gruppe immer bis zum Stern. 🎎 Kontrolliert.

3. 🎎 Sucht euch zwei unterstrichene Stücke aus. Schreibt zu jedem einen Satz. Benutzt nur Wörter von den roten Seiten.

■ Merkstelle: Dehnungs-h

fahren, sie fährt, die Autofähre ☆ früh, der Frühling, das Jahr ☆ die Kuh, die Kühe ☆ wohnen, nehmen ☆ Zahlen zählen, bezahlen ☆ zehn Zähne ☆ ein Sohn ☆ Weihnachten

4. 🎎 Diktat!

■ Merkstelle: tz

Mit einem Satz sitzt die Katze auf ihrem Platz am Fenster.

5. Schreibe auswendig.
Unterstreiche alle Merkstellen. Kontrolliere.

■ Merkstelle: ß

Ein Indianer mit großen Füßen heißt Großfuß-Indianer!

6. Schreibe auswendig. Kontrolliere.

■ Merkstelle: lang gesprochenes i/I

IM JUNI UND JULI GIBT ES IGEL-KINDER.

7. Schreibe in deiner Schrift. Achtung beim Satzanfang und bei Namenwörtern.

■ Merkstelle: aa, ee

Schnee im Haar, Haare im Tee

8. Schreibe auswendig. Kontrolliere.

■ Merkstelle: ck

Rü-, He-, Ro-, zu-

9. Schreibe die ganzen Namenwörter.
 Markiert Merkstellen.

■ Merkstelle: v, V

Vater versucht mit vier Vögeln durch den Verkehr zu kommen.

10. Schreibe auswendig.
Unterstreiche die Merkstellen. Kontrolle!
⊕ Unterstreiche doppelt das Namenwort, von dem keine Mehrzahlform auf den roten Seiten steht.

Klasse 3: Erst hören, dann schreiben

■ bewegen, bringen ✿ danken, denken ✿ fangen, legen ✿
pflegen, sagen ✿ schlagen, singen ✿ sinken, tragen ✿
trinken, fegen

1. Schreibe jede Gruppe auswendig. Unterstreiche mit Stift
und Lineal immer den Wortstamm. So: _dank_en, ...

2. ➕ Schreibe immer die Du-Form und unterstreiche den
Wortstamm So: _du dank_st, ...

■ leben, heben, kleben ✿ bleiben, schreiben ✿ üben

3. Schreibe von Stern bis Stern so in dein Heft:
_leb_en, _du leb_st, ... Kontrolliere.

■ Ente, Gemüse, Telefon, Hose, Blume, Fenster
Garten, Familie, Bein, Buch, Flügel, Wurzel

4. Setze neue Hauptwörter zusammen, immer eins von oben
und eins von unten. Schreibe sie in dein Heft.
So: _Ente_n_familie, ... Vergiss die Kontrolle nicht.

■ geben, gehen, haben, lesen, sehen

5. Bilde neue Wörter mit den Vorsilben **ver-** und **vor-**
(aber nur Wörter, die du wirklich kennst).

6. ➕ Schreibe zu drei Wörtern einen vernünftigen Satz,
in dem nur Wörter von den roten Seiten vorkommen.
Partnerkontrolle!

■ grün, blau, braun, grau, rot

7. Eine sehr schwache grüne Farbe nennt man grünlich.
Schreibe so von allen Farben: _Ein grünli_ch_er Schimmer,
ein ... Schreibe dann nur die fünf Adjektive.

■ schlafen zeigen wünschen arbeiten waschen
Finger, Amt, Anlage, Konzert, Bank

8. Setzt Verben und Nomen zusammen.
So: _schlafen, Bank – Schlafbank ..._

Klasse 3: Erst denken, dann schreiben (1)

Auslaute: d/t, g/ch/k, Verlängern von Wörtern, silbentrennendes h (Aufgaben mit dem Hundert-Tausend-Trick)

■ wild, blind, bunt, rund, fremd, gelb, verbrannt, hart
Hund, Land, Paket, Magnet, Wald, Strand, Hemd

1. Suche zu jedem Nomen ein <u>passendes</u> Adjektiv.
Du kannst ein Adjektiv auch mehrmals verwenden.
Schreibe dann so: *tausende von harten Magneten ...*
oder: *hunderte von harten Magneten*

■ laut, lieb, tot, rot, kalt, fremd, gesund, dreckig
Kleid, Nacht, Pferd, Text, Hand, Brot, Abend

2. Suche zu jedem Nomen ein <u>passendes</u> Adjektiv.
Schreibe dann mit dem Trick. 🏃 Kontrolle!

■ gefährlich, schrecklich, stürmisch, richtig, wichtig
Flugzeug, Käfig, Fabrik, Tag, Weg, Krieg, Bank

3. Suche zu jedem Adjektiv ein passendes Nomen. Schreibe
dann mit dem Hundert-Tausend-Trick.
Kontrolliere selbst: Wort für Wort.

■ gehen, stehen ✫ drehen, wehen ✫ blühen, glühen ✫
Schuhe, Ruhe ✫ ziehen, fliehen

4. Schreibe mit getrennten Silben, immer von Stern bis Stern
auswendig. So: *ge-hen, ...* Kontrolliere.

■ Übung: **Anne auf dem Schrank**

Die Kinder spielen Arzt und Ärztin. Eigentlich sind sie richtig
lieb, aber leider auch ziemlich wild und laut. Es geht
ordentlich rund. Plötzlich kommt Mutter. Sie will wissen,
was Anne auf dem Schrank macht.

Die sei leider nicht richtig gesund, sondern krank, sagt Paula
fröhlich. Deswegen wurde sie zur Kur ins Gebirge geschickt.

38 Wörter + 19 Wörter = 57 Wörter

Klasse 3: Erst denken, dann schreiben (2)

ä und äu

■ Apfel, Ast, Bank, Bauch, Blatt, Hals, Hand, Haut, Land, Mann, Maus, Pass, Platz, Satz, Strauch

1. Schreibe jedes Nomen mit seiner Mehrzahl.
   So: *der Apfel, die Äpfel – der ...*

2. ➕ Im Wörterbuch steht unter einem dieser Nomen ein verwandtes Verb, bei einem anderen ein verwandtes Adjektiv. Schreibe sie. Kontrolliere.

■ Garten, Hase, Bahn, Straße, Strauß, Baum, Haus

3. Eine kleine Maus ist ein Mäus**chen** oder Mäus**lein**. Schreibe so von diesen Nomen.

> Wörter mit ä und äu haben fast immer Verwandte
> mit a und au. Ausnahmen: während, Lärm, Träne, Käfig

■ fahren, fallen ✫ fangen, halten ✫ laufen, schlagen ✫ tragen, waschen ✫ lassen

4. Lies noch einmal auf S. 242 über die Mitsprechwörter nach. Schreibe dann von jedem Verb die Du-Form – immer zwei Wörter auswendig. So: *Du fährst ...*

■ bauen, backen, der Haufen, der Hang, das Gebäude, das Gebäck, aufhängen, Kartoffeln häufeln, der Bäcker, die Hängematte, häufiger Regen, abhängig sein, der Anhänger, Reichtum anhäufen

5. Partnerarbeit! Diese Wörter gehören zu vier Wortfamilien: bauen, Haufen, hängen, backen.
   Sucht die Familienmitglieder. Schreibt sie hintereinander.

■ packen, scharf, stark, laut

6. Schreibe jedes dieser Wörter mit zwei Verwandten.
   Wenn du Probleme hast: Partnerhilfe!

■ alt, hart, kalt, warm, stark

7. Schreibe so: *alt, am ältesten – ...* Partnerkontrolle!

Klasse 3: Erst denken, dann schreiben (3)

Wörter mit ie und zehn Ausnahmen

- fließen, gie- ✪ biegen, fliegen, wiegen ✪ kriegen, liegen, siegen ✪ der Krieg, sie schwieg ✪ kriechen, riechen ✪ ziemlich viel, das Bei- ✪ tief, schief, er rief ✪ mie-, verb- ✪ spa-, frie-, num- ✪ die Fam- ✪ das Tier, vier

1. Partnerarbeit: Wie heißen die Wörter ganz? Welche sind schwierig? Diktiert dann einander immer von Stern bis Stern.

Das lang gesprochene i schreibt man meistens ie.
Aber es gibt Ausnahmen.

Die ersten fünf Ausnahmewörter:

- Igel, Gir-, Kan-, Kro-, Ti-

Die zweiten fünf Ausnahmewörter:

- Ein altes Wort für „gegen" ist wider.

2. Überlegt, was die folgenden „Gegen-Wörter" bedeuten:
   der Wi derstand, wi dersprechen, erwi dern,
   der Wi derwille, wi derlich.

3. ✂✐ Schreibt auswendig so viele dieser zehn Wörter mit i, wie ihr behalten könnt. Kontrolle!

4. ⊕ Schreibe <u>auswendig</u> die drei Sätze von den Nachdenkwörtern mit ie aus Klasse 2 (Seite 245).

5. Suche in diesem Buch Reimwörter zu *Lied* mit Gl- ,
   zu *schwierig* mit g- , zu *friedlich* mit n- , zu *Spiegel* mit S- ,
   zu *Miete* mit N- , zu *lieben* mit sch- .

- Übung: **Besuch im Zoo**

Am Dienstag geht die Familie im Zoo spazieren. Es ist ziemlich kalt und alle frieren. Papa überlegt, ob wohl viele Tiere sich erkälten können. Sicherlich die aus Afrika, meint Tino, wie zum Beispiel Krokodile und Tiger.

Da lacht Tina: „Aber die Giraffen kriegen Schnupfen erst vier Wochen später!"

39 Wörter + 12 Wörter = 51 Wörter

Klasse 3: Erst denken, dann schreiben (4)

doppelte Mitlaute, Silbentrennung, Vorsilbe ver-, Großschreibung: Nomen

▦ er fällt, sie rennt, sie stellt, es beginnt, es brennt,
sie kennt, er hofft, sie gewinnt, er packt, es passt,
sie nennt, sie schwimmt, es stimmt, er trifft, er pennt

1. Schreibe so mit Silbentrennung: *fal-len – sie fällt, ...*

2. Schreibe die Wörter mit -ennt mit ihrer Grundform.

▦ lassen, stellen, brennen, passen, messen, schütten

3. Zu welchen dieser Verben findest du andere mit der Vorsilbe ver-? Schreibe nur Wörter, die du kennst.

4. ✚ Unterstreiche alle gefundenen Wörter, die nicht in diesem Buch stehen.

▦ Tanne, Hammer, Stamm, Kanne, Mann, Blatt, Tasse

5. Schreibe zu jedem Namenwort die Verkleinerungsform und trenne die Silben. So: *Tan-ne, Tänn-chen, ...*

▦ GEWISSEN, DUMM, VERBRENNUNG, LASSEN, FLÜSSIG, STIMMEN, DONNER, DUMMHEIT, FLÜSSIGKEIT, STAMM, SCHALL, PROGRAMM, HOFFENTLICH, INTERESSANT, SOLLEN, NUMMER, MESSER, PASSEN, MITTAG, NASS

6. 👫 Überlegt: Welches sind die elf Nomen?

7. Schreibe in deiner Schrift: erst die Nomen, dann alle anderen Wörter in einer anderen Farbe.

▪ Übung: **Die Rechthaberin** (Vorsicht: Redezeichen!)

Im Kinderzimmer gibt es oft Streit zwischen Tommi und Anna. Er jammert: „Das kommt daher, weil du immer alles besser wissen willst! Allen Bekannten fällt auf, dass du stets eine andere Meinung haben musst als ich."

Da antwortet sie: „Das ist doch toll! Wäre es anders, dann hätten wir ja immer alle beide Unrecht!"

36 Wörter + 18 Wörter = 45 Wörter

Klasse 3: Erst denken, dann schreiben (5)

tz und ck

- Der Bäcker backt Geb- . ✶ Keine Brü- ohne Lü- ! ✶
  mit Sack und Pack ✶ verpacken, Verpackung ✶
  schrecklich erschrecken ✶ entwi- , Entwi- ✶
  Leckeres schmecken ✶ dreck- , speck-

1. Überlegt: Was ist schwierig? Schlagt nach.
   Schreibt auswendig immer bis zum Stern.

- Abzählvers
  Ecke, eckig, Decke, dreckig ✶ Pech und Glück kommt
  oft zurück ✶ du kriegst Druck, raus, ruck, zuck!

2. Schreibe Zeile für Zeile auswendig. Kontrolliere.

- Aus unserer Sprache
  Eine <u>Deck</u>e be<u>deck</u>t oder ver<u>deck</u>t etwas. Wer sie
  auf<u>deck</u>t, ent<u>deck</u>t, was darunter versteckt ist. – Ge<u>setz</u>e
  <u>setz</u>en fest, nach welchen Regeln wir zusammenleben.

3. Schreibe Satz für Satz auswendig und kontrolliere.

- Bei dieser schrecklichen Hitze ist ein Sonnenschutz
  nützlich. ✶ Wer zuletzt lacht, lacht am besten. ✶
  Leider sind Katzen nicht nur nützlich. ✶ Schmutz in
  offenen Wunden kann schreckliche Folgen haben.

4. Mache es wie bei der vorigen Aufgabe.

- Übung: **Rätsel ohne Lösung**

Der Schmutz verschmutzt. ✶ Ein Putzer putzt. ✶
Ein Kratzer kratzt. ✶ Ein Schmatzer schmatzt. ✶
Der Gucker guckt. ✶ Der Drucker druckt. ✶
Die Decke deckt. ✶ Der Wecker weckt. ✶
Der Blitz, der blitzt. ✶ Ein Spitzer spitzt. ✶
Warum die Hitze wohl nicht hitzt?

Und wer bei dieser Frage schwitzt,
merkt schnell, dass ihm das gar nichts nützt.

40 Wörter + 14 Wörter = 54 Wörter

Klasse 3: Von Vase bis Fuß

v/V, Dehnungs-h, ß, -ig, -lich, -isch

■ Wörterliste: Wörter mit v, V
die Vase, verbieten, verbrauchen, verbrennen, der Verein,
verpacken, verletzen, verlieren, vollständig, verschmutzen, die Vorfahrt, vorsichtig, die Vorsicht

1. Schreibe diese Wörter geordnet nach dem ABC.
   Kontrolliere mit diesem Buch.

■ Leben, Mitleid, Afrika, Gefahr, Bayern, Tag, heucheln

2. 𝄞𝄞 ⊕ Schreibe jedes Wort zusammen mit seinem
   Adjektiv. (Vorsicht! Schlag lieber nach.)

■ Gefühl, Lohn, Bohnen, Kahn, wählen, kühlen, Gefahr
kühl, Sohn, wohnen, Bahn, zählen, fühlen, wahr, Lehrer

3. Zu den Wörtern in der 1. Zeile gibt es Reimwörter in
   der 2. Zeile. Schreibe die Reimwörter immer nacheinander.
   (Merkst du etwas?)

■ Wörterliste: Wörter mit ß
heiß, heißen ✫ weiß, beißen ✫ Fleiß, reißen ✫ draußen,
außen ✫ schließen, schließlich ✫ fließen, gießen ✫
Straße, Strauß ✫ groß, bloß ✫ Maß, Spaß ✫ süß, Fuß

4. Schreibe auswendig, immer von Stern bis Stern.

5. Zu zwei Namenwörtern stehen in diesem Buch als
   Nebenstichwörter Adjektive. Schreibe sie.

■ Übung: **Fritzchens Rechtschreiben**

Fritzchen ist sehr fleißig, aber mehr als zehn Fehler in jedem
Diktat machen der Lehrerin große Sorgen. Schließlich sagt
sie, wenn er ein unsicheres Gefühl habe, solle er während
der Arbeit im Wörterbuch nachschlagen.

Fritzchen antwortet ehrlich: „Ja, ich weiß. Ich fühle mich
bloß nie unsicher!"

36 Wörter + 12 Wörter = 48 Wörter

Klasse 4: Wörter zum Nachdenken (1)

Schwierige Namen, Stamm und Endung, Wortfamilien

▨ blicken, brennen, entfernen, fleißig, erwarten, feucht, heiß, scharf, informieren, nah, schwierig, erlauben

1. Schreibe jedes der sechs Adjektive mit seinem Nomen.
   So: *fleißig – der Fleiß*, ... (Wichtig: Nachschlagen!)

▨ blicken, untersuchen, mieten, mischen, schützen, unterrichten, informieren, berichten, quälen, entfernen, jubeln

2. Schreibe zu jedem Verb sein Nomen. So: *blicken – der Blick*, ...

3. Unterstreiche bei den Verben den Wortstamm.
   So: <u>blick</u>en, ...
   Bei der Du-Form wird -st an den Stamm gehängt.
   Schreibe alle Du-Formen. So: *du blick<u>st</u>*, ...
   Unterstreiche rot das Wort, bei dem du gezögert hast.

▨ brennen, donnern, Lebensmittel, Erlebnis, Brand, Druck, lebhaft, Brennnessel, Brandanschlag, Donnerstag, drucken, Donner, Druckerei, leben, drücken, lebendig

4. Diese Wörter gehören zu vier Familien.
   Schreibe alle vier nacheinander.

5. ✚ Forschungsauftrag für zwei Kinder:
   Erklärt anderen alle Verwandtschaften. Ihr habt eine Woche Zeit. Bei einem Wort mit D- hilft dieses Buch.

■ Übung: **Nur keine Angst!**

Mister Miller hat Glück im Lotto gehabt. Nun will er sich einen Traum erfüllen und ein altes Schloss in der Nähe kaufen. Aber er hat noch Bedenken und kein gutes Gefühl. Am Tor empfängt ihn ein alter grauer Mann mit muffigem Geruch und stechendem Blick. Mister Miller sagt, er möchte das Schloss kaufen. Aber nach seinen Informationen gebe es ein Geheimnis: Ein Geist spuke darin.

Da lacht der Alte mit heiserer Stimme: „Ich habe hier noch nie ein Gespenst gesehen, und ich wohne hier schon seit zweihundert Jahren!" 68 Wörter + 23 Wörter = 91 Wörter

Klasse 4: Wörter zum Nachdenken (2)

Auslaute -d/-t und -g/-k, schwierige Namen, Wortfamilien

■ Wortfamilien

Riss, ungezogen, täuschen, Niederlage, Mond, sehen, Wetter, senkrecht, Schonung

Vorstellung, stämmig, Windung, Umfang, nötig, nämlich

1. ⊕ Suche zu jedem Wort ein anderes „Familienmitglied".
Schreibe so: *Riss – reißen, ...* 🐁🐁 Kontrolle!

■ -d oder -t, -g oder -k?

wichti- , Zeitun- ✧ gesun- , Saf- ✧ hungri- , Hun- ✧
zuverlässi- , Freun- ✧ kran- , Pfer- ✧ lau- , Flugzeu- ✧
kal- , Nach- ✧ frem- , Lan- ✧ schwieri- , Geschäf-

2. Bei jedem Wort fehlt der letzte Buchstabe. Du findest alle, wenn
du mit dem Hundert-Tausend-Trick von Seite 250 schreibst.
Zum Beispiel so: *Hundert wichtige Zeitungen ...*

■ Nomen oder Adjektiv

ANGST, WÜTEND, HUNGRIG, ÄRGER, SCHMERZHAFT,
GLÜCK, DURST, HUNGER, ÄNGSTLICH, WUT, GLÜCK-
LICH, ÄRGERLICH, SCHMERZ, DURSTIG

3. Immer ein Nomen und ein Adjektiv gehören zusammen.
Schreibe sie paarweise. So: *Angst – ängstlich, ...*
🐁🐁 Kontrolle: Sind alle Nomen großgeschrieben?

■ Übung: **Überraschung beim Einkauf**

Am Freitag kurz vor Mittag steht eine Kundin vor einem
Marktstand. Nur noch sechs Hähnchen liegen im Korb auf
einer Bank. Die Tiere sehen alle nicht mehr jung, gesund und
frisch genug aus, eher alt und krank und reichlich abgelagert.
Die Kundin bittet darum, die fünf ältesten Hähnchen zur Seite
zu legen. Die Marktfrau denkt an ein richtig gutes Geschäft
und fragt, ob sie diese fünf gleich fertig einpacken dürfe.

Die Kundin hat das Geld schon in der Hand und sagt ruhig:
„Nein, nicht diese fünf, ich möchte nämlich das sechste da."

73 Wörter + 22 Wörter = 95 Wörter

Klasse 4: Wörter zum Nachdenken (3)

ä, eu/äu, silbentrennendes h

■ dr- , dr- , ge- , kr- , se- , na- , ste- , verst- , mä- , we-

1. 🎲 Hier stehen die Anfänge von zehn Verben. Jedes endet mit der Silbe -hen. Schreibe alle zehn Verben und dazu je eine Form mit sie. So: *drehen, sie dreht, ...*

■ <u>Ast, Apfel, Ball, Bank, Blatt, Gras, Hals, Hand, Haus</u> Haut, Maul, Lokal, Magd, Maus, Nacht, Pfau, Platz

2. Schreibe die Nomen der ersten Reihe mit ihrer Mehrzahl. So: *der Ast, die Äste, ...* (Bei einem der Nomen sind <u>zwei</u> Mehrzahlformen möglich. Dieses Buch weiß es!)

   ⊕ Bei den meisten Nomen der zweiten Reihe wird in der Mehrzahl aus a *ä* und aus au *äu*. Schreibe <u>nur</u> diese.

> Achtung: äu gibt es nur in Wörtern, die Verwandte mit au haben. Sonst schreibt man immer eu.

■ B_ che, B_ me, h_ te, n_ , n_ n, f_ cht, H_ ser, F_ er, Kr_ z, St_ er, Kr_ ter, M_ se, l_ chten, tr_ men, Str_ cher, h_ fig, aufr_ men, Z_ gnis, Geb_ de

3. Hier fehlt immer eu oder äu. Sprich jedes Wort. Gibt es ein verwandtes mit au? Wenn nicht: Schlag lieber nach!

■ Melker-Spruch: -chen   -he.   Mü-   ma-
  Eine Kuh macht muh!   -he   Kü-   -le   Vie-

4. Sucht den pfiffigen Vers und schreibt ihn in Silben.

■ Übung: **Wörterliste**

Eule, Blumensträuße, träumen, Euro, aufräumen, Verkäufer, Feuchtigkeit, Kreuzung, Räuber, häufig, Bäumchen, steuern, Freundin, Gebäude, Geräusch, Häuser, Mäuschen, deutsch, Häuptling, säubern, leuchten, neun, feuern, steuern, Zeuge, keuchen, Kerzenleuchter, bekreuzigen, verleugnen, bläulich

sich verbeugen, erneuern, feuern, sich freuen, bereuen, Zäune, säubern, läuten, Leutnant, Heuhaufen, Schleuder, heulen

30 Wörter + 12 Wörter = 42 Wörter

Klasse 4: Bienen, Krokodile und Tiger

„lang" gesprochenes i

Für das „lange" i gibt es vier Schreibweisen. Wer sie durch-
einander übt, macht mehr Fehler als vorher.

■ Gruppe 1: *ie*   So schreibt man es meistens:
Biene, Brief ✫ Dienstag, sieben ✫ vier, fließen ✫ frieren,
Kiefer ✫ kriechen, Lieder ✫ Miete, niemals ✫ niemand,
riechen ✫ schieben, schief ✫ produzieren, schließen ✫
schließlich, Spiegel ✫ Stiel, wiegen ✫ ziehen, Ziel, zielen
✫ Spaziergang, verbieten ✫ Spiel, schwierig ✫ gießen,
genießen ✫ verlieren, in der Tiefe ✫ Frieden, friedlich ✫
spielen, Spiel, Krieg

■ Gruppe 2: *i*   So schreibt man es manchmal:
Igel, Tiger, Apfelsine, ✫ auch Familie und Fabrik, ✫
Widerstand und Margarine, ✫ Kino, Kilo und Musik, ✫
prima, Linie, Schreibmaschine, ✫ lila, dir und mir, Gardine,
✫ Widerstand, Berlin und Ski ✫ schreibt man ebenso mit i
✫ wie Kaninchen und im Nil ✫ das berühmte Krokodil.

1. 🗣️ Diktiert einander die Wörter der ersten Gruppe.
2. Eigendiktat: Präge dir Wörter der zweiten Gruppe immer
   von Stern bis Stern ein und schreibe sie dann auswendig.
   ➕ Wer spricht das Ganze wie ein Rap-Gedicht auswendig?

■ Gruppe 3: *ieh*   So schreibt man es selten:
fliehen, ziehen, es geschieht, sie sieht

■ Gruppe 4: *ih*   So schreibt man sehr selten: ihm, ihn, ihr

■ Übung: **Wörter mit „langem" i**

Doppelt gemoppelt: eine tiefe Tiefe, ein friedlicher Friede,
eine schwierige Schwierigkeit, ein kriegerischer Krieg, Fliegen
fliegen, Liebende lieben, Liegende liegen, Sieger siegen,
Spieler spielen, Genießer genießen, Verlierer verlieren

Gib mir ein Kilo Apfelsinen! Widerstand, Widerworte, Wider-
spruch sind unerwünscht. Im Juni und Juli gibt es Igel-Kinder.

Gegen Krokodile haben viele Menschen einen Widerwillen. –
In der Fabrik werden viele verschiedene Schi produziert.

Wörter mit „langem" i: 31 + 8 = 39

Klasse 4: Alle Affen schwimmen (1)

Doppelte Mitlaute ff, ll, mm, schwierige Namen, Vorsilben, Wortfamilien, zusammengesetzte Wörter

■ „Heit-ung-keit"-Wörter
dumm, schnell, hell, sammeln, einfach, ordnen, pflanzen

Hier stehen Verben und Adjektive. Wenn du die Endung -ung, -heit oder -keit benutzt, werden Nomen daraus. Bei diesen Nomen übersieht man leicht, dass sie – wie alle anderen Nomen auch – großgeschrieben werden.

1. 🔄 Schreibt diese Wörter und dazu ihre Nomen mit Artikel – aber nur die, die ihr kennt!
So: *hoffen – die Hoffnung, ...*
➕ Unterstreiche das Nomen, das nicht im Wörterbuch steht.

■ **Gürtel** ✷ **Maurer** ✷ **Kuh** ✷ **Auto** ✷ **Abfall** ✷ **Teller**
Eimer ✷ **Stall** ✷ **Kelle** ✷ **Rand** ✷ **Schnalle** ✷ **Unfall**

2. Setze neue Nomen zusammen, immer eins von oben und eins von unten. So: *Gürtelschnalle, ...*

■ be an zer um dran miss vor in ver + kommen

3. 🔄 Setze mit dem Verb *kommen* neue Verben zusammen.
So: *bekommen, ...*
Achtung: Schreibe nur Wörter, die du kennst!

4. ➕ Setze auf diese Art weitere Verben mit *fallen* zusammen. Schreibe für jedes einen vernünftigen und garantiert fehlerfreien Satz. Kontrolle: 🔄

■ Übung: **Pelle**

Herr Müller hat ✷ einen neuen Hund bekommen. ✷ Der hat zwar ✷ ein schönes, ✷ hell geflammtes Fell, ✷ aber er ist ✷ noch nicht erzogen. ✷ Nun soll er lernen ✷ zu bellen, ✷ wenn er Futter will. ✷ Damit er das schnell lernt, ✷ bellt Herr Müller immer, ✷ wenn er ihm ✷ seinen Topf voll Futter ✷ hinstellt.

Eine tolle Idee ✷ war das bestimmt nicht. ✷ Denn jetzt ✷ frisst Pelle nur noch, ✷ wenn Herr Müller ✷ vorher bellt.

49 + 18 Wörter = 67 Wörter

Klasse 4: Alle Affen schwimmen (2)

Doppelte Mitlaute ff, ll, mm; Sprech- und Schreibsilben

■ **Kummer Hammer Schlummer Sommer Hummer Nummer Trümmer Semmel Kümmel Brummer Schimmer Summer**

1. Es gibt sechs Reimwörter. Versuche sie dir einzuprägen und schreibe sie auswendig. Kontrolliere!
   ➕ Schreibe mit Artikel alle Wörter, die in diesem Buch stehen.
   So: *der Kummer, ...*

■ **Knall auf Fall** ✭ **in Hülle und Fülle** ✭ **eine billige Brille** ✭ **schrill schreien** ✭ **laut brüllen** ✭ **ein tolles Holland-Rad** ✭ **volle Pulle** ✭ **helles Metall** ✭ **Krawall im Schweinestall**

2. 🎴 Diktat: Wechselt bei jedem Stern.

■   **schaffen**

| ab- | be- | weg- | herbei- | zurück- | an- | er- | ver- | fort- | recht- |

3. Setze zehn Verben zusammen. (Achtung: nur Verben!)
   Schreibe sie mit getrennten Silben. So: *ab-schaf-fen, ...*
   ➕ Suche ähnlich zusammengesetzte Wörter mit *treffen*
   und schreibe auch sie mit getrennten Silben.

■ **gaffen schaffen Affe Schiff Stoff hoffen raffen raffiniert**

4. Schreibe nur die sieben Wörter aus diesem Buch.
   ➕ Zu zwei Wörtern gibt es Nebenstichwörter aus derselben Familie. Schreibe sie alle.

■ Übung: **Ein dummer Köter**

Frau Pammel trifft den Verkäufer aus dem Zoogeschäft. Mit schriller Stimme lässt sie einen Wortschwall los. Der Verkäufer steht still und stumm vor Schreck. Einen solchen Lümmel von Verkäufer sollte man anzeigen! Der Hund aus seinem Geschäft sei ganz bestimmt ein billiger, dummer Köter, vollkommen unfähig, eine Null! Sie habe einen Wachhund fürs Geschäft anschaffen wollen. Aber nun habe sie begriffen, wie man sie betrogen habe!

Gestern habe ein Dieb ihr ganzes Geschäft ausgenommen. Sie habe das nicht hören können, weil der Köter so einen höllischen Krawall gemacht habe!   69 + 23 Wörter = 92 Wörter

Klasse 4: Wenn Schmetterlinge Suppe essen

Doppelte Mitlaute mit nn, pp, ss, tt; Schreibsilben

■ brennen, denn, innen, die Kanne, kennen, das Kinn,
die Nonne, die Pfanne, der Sinn, die Sonne, die Spinnen,
nennen, die Tanne, die Wanne, wenn, die Kolonne

1. 🧑‍🤝‍🧑 Hier sind sechs Gruppen von Reimwörtern versteckt.
Schreibe jede Gruppe. Beginne jedes Mal eine neue Zeile.

■ kippen, schlapp, klappen, die Lippe, die Puppe, klappern,
schleppen, die Suppe, der Teppich, die Treppe, schnappen

2. Schreibe mit getrennten Silben. So: *kip-pen, ...*
➕ Zu jedem Verb steht in diesem Buch ein Nomen als
Nebenstichwort. Nur zu einem nicht. Schreibe dieses eine.

■ Regen-Rap im Wolkenbruch:
Nicht zu fassen: Wassermassen ✩ gossen, flossen in die
Gassen ✩ von den Häusern auf Terrassen! ✩ Himmel,
lass das, denn ich hass das! ✩ Regenguss, Jacke ohne
Reißverschluss! ✩ Pitschenass wie'n Regenfass!

3. 🧑‍🤝‍🧑 Sprecht flüsternd im Rap-Rhythmus.
Diktiert einander, wechselt bei den Sternen.
➕ Wer kann das ganze Gedicht auswendig schreiben?

■ BETTBITTERBLATTWETTENBRETTGLATTBUTTERKAPUTT
FUTTERBITTENGITTERKLETTERNHÜTTESCHÜTTELNKETTE
MITTAGNETTMITTESATTPLATTERETTENHIMMEL

4. Schreibe alle Wörter in deiner Schrift. (Vorsicht: Nomen!)

■ Übung: **Dumm gelaufen**

Herr Brösel ist stolz, denn er hat in seiner Firma ein eigenes
Büro bekommen. Kurz vor Mittag wird die Tür geöffnet, und
ein junger Mann betritt das Zimmer. Schnell nimmt Herr
Brösel den Hörer des Telefons und wählt eine Nummer.
Dann spricht er mit wichtiger Stimme in den Hörer.

Endlich legt Herr Brösel auf und will wissen, was er für den
Mann tun könne. Der schüttelt den Kopf, nennt seinen
Namen und antwortet: „Ich soll Ihr kaputtes Telefon
reparieren." 51 Wörter + 30 Wörter = 81 Wörter

Klasse 4: Zum Kuckuck mit den Katzen!

tz, ck; Wortstamm

■ Redensarten
Der hat einen breiten Rücken! ✦ Es kam wie ein Blitz aus heiterem Himmel. ✦ Beide stecken unter einer Decke. ✦ Das ist nur die Spitze eines Eisbergs.

1. [Bild] ⊕ Was bedeuten die Redensarten? Erforscht es.

2. Schreibe eine Redensart nach der anderen auswendig.

■ Rap-Spruch für Wutanfälle
Schicke, schacke, dicke Backe! ✦ Mückenpickel, Ochsenglocke! ✦ Eiterpocke, Stinkesocke! ✦ Wütend gucken, zweimal jucken, ✦ runterschlucken, dreimal spucken! ✦ Lauthals brüllen tut ganz gut. ✦ Und zum Kuckuck mit der Wut! ✦ So ein Glück: Sie geht zurück, ✦ leider langsam, Stück für Stück! ✦ Weg mit ihr nach Trallala, ✦ nach Afri- und Amerika!

3. [Bild] Lest den Spruch gemeinsam flüsternd im Rap-Rhythmus.

4. [Bild] Merkt euch immer zwei Zeilen, schreibt sie auswendig und kontrolliert sofort.

5. ⊕ Suche aus der Wortfamilie „setzen" in diesem Buch fünf Wendungen und schreibe einen richtigen Satz zu jeder.

■ **sitzen, blitzen, kratzen, nützen, schützen, schwitzen, besetzen, anspitzen, verletzen, verschmutzen, spritzen**

6. Schreibe jedes Verb und dazu die Form mit er oder sie. Unterstreiche den Wortstamm. So: _sitzen – sie sitzt_, ...

■ Übung: **Zweitsprache**

Mutter Katze geht mit ihren drei jungen Kätzchen spazieren. Plötzlich sehen sie hinter sich einen dicken Hund heran-flitzen. Die Katzenkinder schreien entsetzt. Gegen den Köter gibt es für sie keinen Schutz. Aber im letzten Augenblick blickt sich die Katze um und bellt laut. Der Hund duckt sich erschrocken und trabt zurück. Da spricht Mutter Katze:

„Look, this is the advantage of a second language!"

56 deutsche + 9 englische Wörter

Klasse 4: Der Kuh auf den Zahn fühlen

Dehnungs-h, Wortfamilien

■ Verwandte und Fremde
fahren – die Erfahrung, fühlen – der Fühler, nehmen –
die Ausnahme, der Lehrer – der Lehrling, überzeugen –
der Zeuge, nah – die Nahrung, waagerecht – richtig,
barfuß – bar zahlen, früh – das Frühstück, müssen –
das Gemüse, der Mann – niemand

1. Immer zwei Wörter gehören zu einer Familie. Aber die
   Wörter zweier Paare haben nichts miteinander zu tun.
   Schreibe nur die acht Verwandten.

■ Die Lehrerin führt ihre Klasse durch die Tropfsteinhöhle.
✿ Der Arzt bohrt im hohlen Zahn. ✿ Manchmal sieht ein
Zwilling dem anderen sehr ähnlich. ✿ Ein Fahrrad nennt
man spaßig auch Drahtesel. ✿ Seit ungefähr einer
Woche wohnen wir in der neuen Wohnung.

2. Schreibe jeden Satz auswendig und kontrolliere sofort.

■ Schuh, Sohn, Uhr, Zahn, Lehrerin, Draht, Stuhl, Wahl

3. Schreibe nur das Nomen, zu denen im Wörterbuch
   ein Adjektiv als Nebenstichwort steht.

■ Übung: **Deutscher Meister Berri**

Im Frühling vorigen Jahres nahm Berri an der Meisterschaft
für Wachhunde teil. Er musste zehn sehr schwierige und
sogar gefährliche Aufgaben lösen, schien aber Gefahren
geradezu zu ahnen und vorherzufühlen und löste alle Auf-
gaben fehlerfrei. Deshalb wurde er zum besten Wachhund
gewählt und mit zehn Dosen Hundenahrung belohnt. Die
Wahl machte seinen Besitzer sehr stolz und froh. Wer Berri
jetzt hätte kaufen wollen, hätte ungefähr doppelt so viel für
ihn bezahlen müssen wie vorher.

Am nächsten Tag fehlte Berri in seinem Käfig. Ein Besucher
fragte nach ihm. Sein Besitzer antwortete: „Keine Ahnung,
wo er ist! Während der Nacht wurde er gestohlen!"

77 Wörter + 27 Wörter = 104 Wörter

Klasse 4: Flusspferd fraß Nüsse

ss, ß; lange und kurze Vokale

> Ein ß steht nur nach langem Selbstlaut.

■ Draßen – drassen; bassen – baßen; klessen – kleßen; lußen – lussen; zissen – zießen; krassen – kraßen; brüßen – brüssen; joßen – jossen; lässig – läßig; kosselig – koßelig

1. 🔲 Lest leise. Achtet auf die kurzen und langen Selbstlaute. Ein Kind liest, das andere sagt: ss oder ß.
   ➕ Nur eins dieser Wörter gibt es. Welches?

■ aufpassen, besser ☆ ein bisschen, wir bissen, wir <u>essen</u> ☆ das Fass, sie <u>flossen</u>, der Fluss ☆ fressen, sie frisst ☆ gesessen, sie goss ☆ interessant, das <u>Kissen</u> ☆ die <u>Klasse</u>, lass das!, das Messer ☆ müssen, du musst, nass ☆ passen, das <u>Schloss</u> ☆ der Schlüssel, der Schuss, das Wasser

2. 🔲 Lest einander diese Wörter vor und sprecht den kurzen Selbstlaut so kurz wie möglich.

3. 🔲 Diktat: Bei jedem Strich wechseln!

4. Schreibe jedes unterstrichene Wort mit mindestens einem Reimwort. (Versichere dich durch Nachschlagen!)

■ wir <u>aßen</u>, außen, außerdem, beißen, <u>bloß</u> ☆ draußen, <u>dreißig</u> ☆ <u>fließen</u>, sie fraßen ☆ der Fuß, gießen, groß, der Gruß ☆ heißen, sie ließ, wir saßen, ich <u>vergaß</u>

5. Präge dir jeweils die Wörter bis zum Strich ein und schreibe sie auswendig. Kontrolliere sofort.

6. Schreibe jedes unterstrichene Wort mit einem Reimwort.

gießen, fließen, beißen, essen, fassen

7. 🔲 Schreibe jedes Verb und dazu zwei Verbformen und zwei Substantive.
   So: *gießen, er goss, sie gießt, der Guss, die Gosse.*
   🔲 Kontrolle!

interessant, vergesslich, spaßig, verfressen

8. Schreibe zu jedem dieser Adjektive ein Verb und ein Nomen aus demselben Wortfeld.

Klasse 4: Freiheit für den Papagei!

Vorsilbe ent-, „Heit-ung-keit"-Wörter

▪ **binden, haken, kommen, lassen, stehen, werfen, wickeln**

1. Schreibe jedes Verb und sein verwandtes Verb mit der Vorsilbe
   ent- . So: *binden – entbinden, …*
   Schreibe zu vier der verwandten Verben ein Nomen mit -**ung**.
   So: *entbinden – die Entbindung, …*

   Aber die Wörter end**g**ültig, end**l**os und end**l**ich
   sind mit Ende verwandt.

▪ **frei, gesund, leisten, leiten, geschwind, betrachten, fähig,
   selig, zäh, frech, krank, achten, faul, dumm, heizen,
   fröhlich, fromm, kreuzen**

2. Wörtern mit den Endungen -**heit**, -**ung** und -**keit** merkt man
   nicht leicht an, dass sie Nomen sind. Schreibe jedes Wort und
   sein Nomen mit -**heit**, -**ung** oder -**keit**. So: *frei, die Freiheit, …*

▪ **gehorchen, durstig, ehrgeizig, gemütlich, eklig, tapfer,
   sich ereignen, frisch, gestehen**

3. 🎭 ➕ Zu welchen Wörtern findest du ein „Heitungkeit"-Wort?
   Schreibe sie mit ihrem Nomen.
   So: *gehorchen, der Gehorsam, …*

▪ Übung: **Merkwürdiger Einbruch**

Dass bei der Polizei Leute anrufen, deren Stimme sich vor
Aufregung überschlägt, ist keine Seltenheit. Dem Londoner
Polizisten Miller aber ist ein Anruf wegen seiner Merkwürdig-
keit und Einmaligkeit in bleibender Erinnerung. Eine Stimme
krächzte: „Einbruch! Eine Katze ist eingebrochen!" Mister
Miller, der viel Erfahrung hatte, antwortete, die Polizei über-
nehme für Katzen keine Verantwortung.

Weil Katzen nicht in die Zuständigkeit der Polizei fielen,
sehe er weder eine Möglichkeit noch die Notwendigkeit,
einen Streifenwagen zu schicken. Da krächzte die Stimme:
„Hilfe! Es geht um Leben und Tod! Hier spricht der Papagei!"

55 Wörter + 36 Wörter = 91 Wörter

Klasse 4: Schwierige Sammlung

chs/x, Fremdwörter, Problemwörter, Doppelvokale, ie

■ die Hexe, der Lexikon-Text, extra, mixen, boxen ✪
der kleine Fuchs wuchs, sechs Gewächse wachsen,
wechseln, der nächste Tag ✪ das sympathische Theater,
das Thermometer

1. Schreibe jede Wörtergruppe auswendig. ✎✏ Kontrolle!

■ Recycling
Die Griechen nannten Kreis und Kreislauf cyclos.
Daraus wurde bei den Römern cyclus und bei den
Engländern cycle. – Die Vorsilbe re- bedeutet oft: zurück.
Wenn ich etwas zurück in den Kreislauf bringe, heißt das
auf Englisch: I recycle.

2. ⊕ Erforsche: Was bedeutet recyceln? Warum heißt Fahrrad
im Englischen *bicycle* und Radfahren *cycling*?

■ Wörter, die mit Flüssigkeiten zu tun haben:
Tee, Ka-, See, Meer, Moo-, Moo-, Schn-, Boot

3. Schreibe diese Wörter vollständig und mit Artikel.

■ doof, ein Paar Schuhe, ein paar Tage, die Idee, der Zoo

■ brav, Vase, Konserve ✪ überqueren, quälen, Qual, Quelle
✪ Christ, Chance, Charakter, Charterflug ✪ Handy, Clown

4. Denkt euch selbst Übungen aus!

■ ie-Rap
Fließen, schließen und genießen ✪ fliegen, siegen,
wiegen, gießen, ✪ subtrahieren, schief addieren, ✪ Ärger
kriegen, Vier kassieren, ✪ Besenstiel und Fußballspiel. ✪
Beispiel, Schauspiel, ziemlich viel, ✪ biegen, fliegen und
verlieren, ✪ liegen, kriegen und blamieren ✪ schrieb
Mariechen Wiesenklee ✪ noch im Halbschlaf mit i-e!

5. Sprich im Rap-Rhythmus.

6. Eigendiktat: immer von Stern bis Stern.

Lauttabelle für türkische Kinder

A a (aslan)	B b (baykuş)	C c (köpek)	D d (dondurma)
E e (eşek)	F f (fincan)	G g (göz)	H h (halka)
I i (inek)	J j (jılan)	K k (köpek)	L l (lamba)
M m (muz)	N n (nal)	O o (otomobil)	P p (papagan)
Qu qu	R r (roket)	S s (zil)	T t (top)
U u (uçurtma)	V v (fincan) / (vazo)	W w (vazo)	X x
Y y (yumurta)	Z z	Sch sch (şapka)	Ei ei (ay)

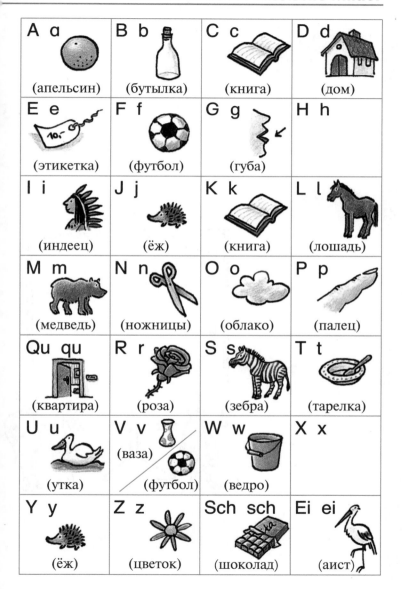

A a	B b	C c	D d
(апельсин)	(бутылка)	(книга)	(дом)

E e	F f	G g	H h
(этикетка)	(футбол)	(губа)	

I i	J j	K k	L l
(индеец)	(ёж)	(книга)	(лошадь)

M m	N n	O o	P p
(медведь)	(ножницы)	(облако)	(палец)

Qu qu	R r	S s	T t
(квартира)	(роза)	(зебра)	(тарелка)

U u	V v	W w	X x
(утка)	(ваза) / (футбол)	(ведро)	

Y y	Z z	Sch sch	Ei ei
(ёж)	(цветок)	(шоколад)	(аист)

Englisch

➤ Bild-Wort-Lexikon 272

➤ Wörterverzeichnis 294

➤ Wie man auf Englisch … 300

➤ Englische Wörter in unserer Sprache 302

My family

grandfather
(grandpa)

grandmother
(grandma)

grandmother
(grandma)

father
(dad, daddy)

mother
(mum, mummy)

Hi, I'm Tom.
This is my family.

dog

cat

son

daughter

brother

sister

My face

hair

eye

freckles

ear

nose

mouth

tooth

lip

Do you like my freckles?

My body

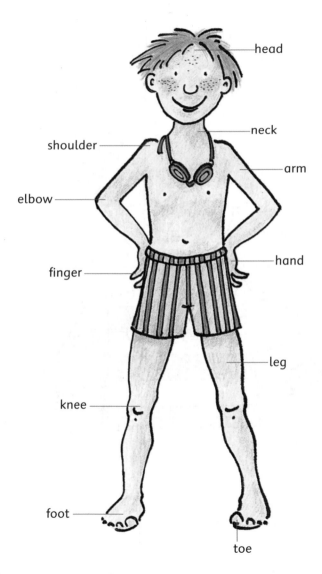

head

neck

shoulder

arm

elbow

hand

finger

leg

knee

foot

toe

We're going on holiday.

anorak

cap

shorts

shirt

pullover

jeans

boots

sandals

T-shirt

gloves

swimming trunks

blouse

I like Africa.

cardigan

swimming costume

skirt

scarf

shoes

socks

dress

Numbers

I like animals, but I don't like numbers.

one

seven

two

eight

three

nine

four

ten

five

eleven

six

twelve

yellow
green
white
black
red
blue
grey

My favourite colour is blue.

happy

sad

big

small

hot

cold

new

old

board

book

pen

exercise book

chalk

rubber

pencil

ruler

scissors

felt tip

paper plane

chair

table

school bag

desk

pupil

teacher

Zoo animals:

lion   bear   elephant

horse   hippo   monkey

Pets:

hamster   guinea pig   rabbit

fish   mouse   budgie

The lion goes to the swimming pool*

The lion	goes	to the swimming-pool

*Dieses Spiel ist so ähnlich wie „Onkel Fritz sitzt in der Badewanne". Unterschiedliche Kinder schreiben nacheinander (verdeckt) in die
1. Spalte ein Tier, in die 2. Spalte, was das Tier tut, und in die
3. Spalte, wo es ist. Kein Kind weiß, was das andere geschrieben hat. So bildet ihr lustige Sätze.

Food

apple

banana

pear

orange

grapefruit

lemon

pineapple

kiwi fruit

strawberry

tomato

green pepper

mushroom

carrot

potato

onion

cucumber

lettuce

cornflakes

honey

jam

sugar

egg

bread

butter

cheese

ham

yoghurt

milk

My room

bed

desk

chair

wardrobe

shelves

door

lamp

computer

window

television

CD-player

alarm clock

football

game

radio

in-line skates

magazine

My town

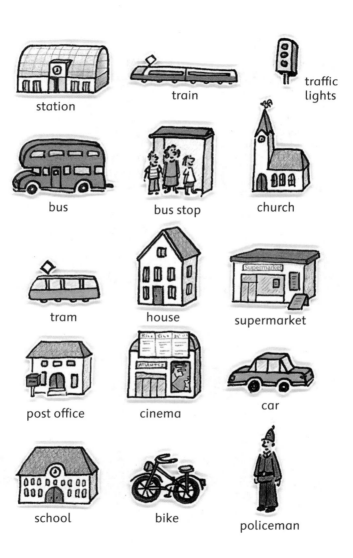

station

train

traffic lights

bus

bus stop

church

tram

house

supermarket

post office

cinema

car

school

bike

policeman

Hello and Goodbye

spring
(March, April, May)
Easter

sunshine

shower

nest

What's the weather like today?

It's sunny and rainy.

Easter egg

flower

bird

summer (June, July, August)
holidays

butterfly

plane

in-line skating

ice cream

swimming pool

autumn

(September, October, November) *Halloween*

cloud

rain

kite

fog

pumpkin

It's foggy, windy and cloudy.

apple

leaves

winter (December, January, February) *Christmas*

Christmas tree

snowflakes

sledge

snowball

snowman

A

Abend	*evening*
Affe	*monkey*
alt	*old*
Ampel	*traffic lights*
Ananas	*pineapple*
Anorak	*anorak*
Apfel	*apple*
Apfelsine	*orange*
April	*April*
Arm	*arm*
Auf Wieder-sehen!	*Goodbye!*
Auge	*eye*
August	*August*
Auto	*car*

B

Badeanzug	*swimming costume*
Badehose	*swimming trunks*
Bahnhof	*station*
Banane	*banana*
Bär	*bear*
Bein	*leg*
Bett	*bed*

Birne	*pear*
bitte	*please*
Blätter	*leaves*
blau	*blue*
Bleistift	*pencil*
Blume	*flower*
Bluse	*blouse*
Brot	*bread*
Bruder	*brother*
Brust	*chest*
Buch	*book*
Bus	*bus*
Bushaltestelle	*bus stop*
Butter	*butter*

C

CD-Spieler	*CD player*

D

danke	*thank you*
Delphin	*dolphin*
Dezember	*December*
Dienstag	*Tuesday*
Donnerstag	*Thursday*
Drachen	*kite*

E

Ei	egg
Eis	ice
Eiskrem	ice cream
Elefant	elephant
Ellbogen	elbow
Entschul-digung	sorry
Erdbeere	strawberry
Essen, Lebensmittel	food

F

Fahrrad	bike
Familie	family
Farbe	colour
Februar	February
Fee	fairy
Fenster	window
Ferien	holiday
Fernseher	television
Filzstift	felt tip
Finger	finger
Fisch	fish
Flugzeug	(air)plane
Frage	question
Freitag	Friday
Früchte	fruit

Frühling	spring
Füller	pen
Fuß	foot
Fußball	football

G

Gefühl	feeling
Geist	ghost
gelb	yellow
Gesicht	face
glücklich	happy
grau	grey
groß	big
Größe	size
Großmutter	grand-mother (grandma)
Großvater	grandfather (grandpa)
grün	green
Gurke	cucumber
gut	good

H

Haar	*hair*
Hals	*neck*
Hamster	*hamster*
Hand	*hand*
Handschuhe	*gloves*
Haus	*house*
Haustier	*pet*
Heft	*exercise book*
heiß	*hot*
Hemd	*shirt*
Herbst	*autumn*
Hexe	*witch*
Honig	*honey*
Hund	*dog*

K

kalt	*cold*
Kaninchen	*rabbit*
Kartoffel	*potato*
Käse	*cheese*
Katze	*cat*
Kino	*cinema*
Kirche	*church*
Kiwi	*kiwi fruit*
Kleid	*dress*
Kleidung	*clothes*
klein	*small*
Knie	*knee*
Kopf	*head*
Körper	*body*
Kreide	*chalk*
Krieg	*war*
Kürbis	*pumpkin*

J

Jacke	*jacket*
Jahreszeit	*season*
Januar	*January*
Jeans	*jeans*
Joghurt	*yoghurt*
Juni	*June*
Juli	*July*

L

Lampe	*lamp*
Lebensmittel, Essen	*food*
Lehrer(in)	*teacher*
Lineal	*ruler*
Lippe	*lip*
Löwe	*lio*

M

Mai	*May*
Marmelade	*jam*
März	*March*
Maus	*mouse*
Meer-	
schweinchen	*guinea pig*
Milch	*milk*
Millionär	*millionaire*
Mittwoch	*Wednesday*
Möhre	*carrot*
Mond	*moon*
Montag	*Monday*
Morgen	*morning*
Mund	*mouth*
Mutter	*mother*
	(mum,
	mummy)
Mütze	*cap*

N

Nachmittag	*afternoon*
Nacht	*night*
Nase	*nose*
Nebel	*fog*
Nest	*nest*
neu	*new*
Nilpferd	*hippo*
Nordpol	*North Pole*
November	*November*

O

Ohr	*ear*
Oktober	*October*
Osterei	*Easter egg*

P

Pampelmuse	*grapefruit*
Papierflieger	*paper plane*
Paprika (grün)	*green*
	pepper
Pferd	*horse*
Pilz	*mushroom*
Polizist	*policeman*
Post	*post office*
Pullover	*pullover*

R

Radiergummi	*rubber*
Radio	*radio*
Regal	*shelves*
Regen	*rain*
Rock	*skirt*
rot	*red*

S

Salat	*lettuce*
Samstag	*Saturday*
Sandalen	*sandals*
Schal	*scarf*
Schauer	*shower*
Schere	*scissors*
Schinken	*ham*
Schlitten	*sledge*
Schloss	*castle*
Schmetterling	*butterfly*
Schneeball	*snowball*
Schneeflocke	*snowflake*
Schneemann	*snowman*
Schrank	*wardrobe*
Schreibtisch	*desk*
Schuhe	*shoes*
Schule	*school*
Schüler(in)	*pupil*
Schultasche	*school bag*
Schulter	*shoulder*
schwarz	*black*
Schwester	*sister*
September	*September*
Shorts	*shorts*
Socken	*socks*
Sohn	*son*
Sommer	*summer*
Sommer- sprossen	*freckles*

Sonnabend	*Saturday*
Sonnenschein	*sunshine*
Sonntag	*Sunday*
Spiel	*game*
Stadt	*town*
Stiefel	*boots*
Straßenbahn	*tram*
Strickjacke	*cardigan*
Stuhl	*chair*
Supermarkt	*super- market*

T

Tafel	*board*
Tag	*day*
Tier	*animal*
Tisch	*table*
Tochter	*daughter*
Tomate	*tomato*
traurig	*sad*
T-Shirt	*T-shirt*
Tür	*door*

V

Vater	*father (dad, daddy)*
Vogel	*bird*

W

Wecker	alarm clock
Weihnachten	Christmas
Weihnachts-baum	Christmas tree
weiß	white
Wellensittich	budgie
Wetter	weather
Winter	winter
Woche	week
Wolke	cloud
Wunsch	wish

Z

Zahl	number
Zahn	tooth
Zauberer	wizard
Zeh	toe
Zeitschrift	magazine
Zimmer	room
Zitrone	lemon
Zucker	sugar
Zug	train
Zunge	tongue
Zwiebel	onion

Wie man sich auf Englisch freut:

Das macht mir Spaß.	*I like it.*
Das ist ja super!	*That's really good.*
Darüber freue ich mich.	*I'm really pleased about that.*
Das gefällt mir total gut.	*I really like that.*

Wie man sich auf Englisch ärgert:

Ich halte das nicht mehr aus.	*I can't stand it any longer.*
Das ist die Höhe.	*That really takes the biscuit.*
Das muss anders werden.	*We'll have to do it differently next time.*
Ich bin wütend.	*I'm really annoyed.*
Das gefällt mir überhaupt nicht.	*I don't like that at all./That's not the way I like things.*

Wie man sich auf Englisch wundert:

Komisch./Merkwürdig.	*That's strange.*
Na so was!	*I'm quite shocked.*
Unglaublich!	*I don't believe it.*
Wirklich?	*Really?*

Wie man jemanden auf Englisch ermahnt:

Das geht nicht.	*You can't do that.*
Mach keine Dummheiten.	*Don't do anything silly.*
Mach keinen Unsinn.	*Stop messing about.*
Sei vorsichtig.	*Be careful.*
Lass das lieber.	*Stop it.*
Hände weg!	*Don't touch that.*

Wie man auf Englisch unfreundlich ist:

Das geht dich nichts an.	*Mind your own business.*
Lass mich in Ruhe.	*Leave me alone.*
Du gehst mir auf die Nerven.	*You're getting on my nerves.*

Wie man jemandem auf Englisch etwas Gutes sagt:

Ich liebe dich!	*I love you.*
Das ist nett von dir!	*That's very nice of you.*
Gut gemacht!	*Well done.*
Das war Klasse!	*That was really great.*
Das ist nett/freundlich von dir.	*That's very kind of you.*

Wie man jemanden auf Englisch abwimmelt:

Ich habe keine Zeit.	*I'm late already.*
Ich hab's eilig.	*I'm in a hurry.*
Komm morgen wieder!	*Come back tomorrow.*
Ich muss weg.	*I have to go now.*

Wie man sich auf Englisch verabschiedet:

Viel Spaß!	*Have a good time.*
Bis dann!	*Till (the) next time.*
Schönen Tag noch!	*Have a nice day.*
Auf Wiedersehen!	*See you again.*
Alles Gute!	*All the best.*
Viel Glück!	*Good luck.*

Englische Wörter in unserer Sprache

abtörnen, das törnt mich ab: ich bin enttäuscht oder: sehr gelangweilt, schlechter Stimmung (turn = sich verwandeln)

Action, da ist Action: da passiert etwas, da ist was los! (action = Tat, Handlung)

boomen, die Sache boomt: das entwickelt sich rasant (boom = Aufschwung)

checken, das ist gecheckt: untersucht (check = Kontrolle)

clean, der Typ ist clean: der ist in Ordnung, vertrauenswürdig (clean = sauber)

connections haben: Beziehungen haben (connection = Verbindung)

cool, er ist cool: der ist ruhig, gelassen; besonders gut (cool = kühl, gelassen)

easy, das ist easy: leicht, bequem, unkompliziert (easy = leicht, einfach, bequem)

feeling, ein gutes feeling: ein gutes Gefühl, gute Stimmung (feeling = Gefühl)

fit, ich bin fit: gut in Form (fit = gut in Form)

geschockt, er ist geschockt: erschrocken (shock = Schreck)

gestylt, sie ist gestylt: sie hat sich schick gemacht (style = Stil, Mode)

happy, ich bin happy: ich bin glücklich (happy = glücklich)

heavy, das ist heavy: das ist schwer, ein „starkes Stück" (heavy = schwer)

in, das ist in: das ist Mode (in = in Mode)

joggen, ich gehe joggen: ich laufe (jogging = Dauerlauf)

knockout, k.o., ich bin k.o.: (knocked out = bewusstlos geschlagen)

Power, der hat viel Power: jemand hat viel Kraft und Energie (power = Kraft)

relaxed, ich bin relaxed: ich bin ruhig, gelassen, entspannt (relaxed = entspannt)

Softie, der ist ein Softie: der ist ein Weichling (soft = weich)

Story, erzähl keine Storys: erzähl keine Lügengeschichten (story = Geschichte, Erzählung)

Sound (sound = Klang)

top, das ist top: das ist eine „Spitzen"sache (top = Spitze)

Trouble, er hat Trouble (trouble = Probleme, Ärger, Schwierigkeiten)

10. Alessandra, Beate, Claudia, Daniela, Elli, Frank, Georg

23. Ober, Ofen, Ohr, Oma, Onkel, Ort, Osten, Ozean

11. Lehmann, Meier, Posser, Seiler, Wagner, Zander

22. Eber, Efeu, Eheleute, Eisen, Ekel, Elli, Ente, Erde, Esel

12. Auto, Bauch, Finger, Großmutter, Hund, Luft, Nase, Opa, Radio, Wind

16. Bett, Dorf, Ferien, Gedicht, Hand, Jahr, Mädchen, Puppe, Radio, Zahn

18. Tierarzt 89, Zirkusclown 92, Geschäftsbummel 18, Tigerdompteur 75, Sturmflut 64

5. Bank, Barometer, Base, Christ, Dame, Deich, Dialekt, Dieb, Dynamo, Fessel

12. falsche Seitenzahlen bei „Plaketten" und „Portionen"

1. Backe, baden, Bagger, Bahn, bald, Banane, Barren, Bast, Bauer, Bayern

16. Fehler bei „Brüllaffe" und „Werkzeugmaschine"

3. „Krank" muss vor „Kupfer" stehen.

4. „Passen" muss vor „quer" stehen, „schwarz" vor „schwer".

13. richtige Seitenzahl bei „abstellen" (stellen)

17. Diese Grundformen musst du suchen: schneiden, bringen, schlafen, essen, rufen, stehlen, fahren, sitzen, essen.

22. Mühle, mahlen, Mehl gehören zur selben Wortfamilie.

2. lachen, Lack, Laden, Lager, lahm, lallen, Lampe, lang, Lappen, lassen, Latte

23. Habt ihr im Lexikon „Landschaftliche Unterschiede ..." nachgesehen?

Von **A** bis **Zett**

Wörterbuch
für Grundschulkinder

von Gerhard Sennlaub

Redaktion: Ute Kister

Layoutkonzept: Ellen Meister

Technische Umsetzung: Manuela Tanner

Illustrationen: Sabine Rothmund, Gabriele Heinisch (S. 300/301)

Inhaltliche Bearbeitung der Seiten 272–299: Johanna Hochstetter

 http://www.cornelsen.de

1. Auflage   Druck 6 5 4 3   Jahr 07 06 05 04

Alle Drucke dieser Auflage sind inhaltlich unverändert
und können im Unterricht nebeneinander verwendet werden.

© 2003 Cornelsen Verlag, Berlin

Druck: Parzeller Druck- und Mediendienstleistungen, Fulda

ISBN   3-464-80427-5   kartoniert
ISBN   3-464-80426-7   flexibler Kunststoffeinband

Bestellnummer 804275   kartoniert
Bestellnummer 804267   flexibler Kunststoffeinband

 Gedruckt auf säurefreiem Papier,
umweltschonend hergestellt aus chlorfrei gebleichten Faserstoffen.